어느 간호사의

고백

- 권희선 지음 -

어느 간호사의 고백

발행일 2017년 5월 8일

지은이 꿈꾸는 낭만고양이 권희선
캘리그라피 Cloud Calligraphy 최성호

펴낸곳 주식회사 부크크
출판사등록 2014.07.15.(제2014-16호)
주 소 경기도 부천시 원미구 춘의동202 춘의테크노파크2단지 202동 1306호
전 화 (070)4085-7599
이메일 info@bookk.co.kr
ISBN 979-11-272-1552-1

추천의 글

마치 글쓴이와 함께 그 현장에 있는 것처럼 순식간에 읽어 내려갔다. 하나하나의 사례를 보며, 글쓴이의 희로애락에 공감하고 느낄 수 있었다.

병원에서 근무하는 간호사로서 업무량과 시간에 치여 그저 사무적으로 환자, 보호자를 대해왔던 내 자신에 대해 다시 생각해 볼 수 있는 계기가 되었다.

그동안 대상자를 바라보며 해야 할 일만 생각했다면, 이제는 관점을 바꾸어 그들의 입장에서 생각해보는 것도 바람직할 것이다.

이러한 생각을 하면서, 당장 내일 근무가 흥미진진한 새로운 세계로 다가오는 것 같아 입가에 미소가 가득해진다.

- 근로복지공단 경기요양병원 간호사 추OO -

우리는 자신의 일만 힘들고 남의 일은 어렵지 않다고 쉽게 말하곤 한다. 하지만 정작 그들이 하는 일의 고충은 아는 바가 없다. 이 책은 그동안 몰랐던 우리들의 생명과 회복을 위해 노력하는 수호천사의 일상이 담겨 있으며 그들의 고마움을 깨닫게 해주는 소중한 기회라 생각된다. 만약 내가 아파 병원에 갈 일이 생기게 된다면 생명을 살리기 위해서 자신을 희생해서 도와주시는 간호사분들께 감사의 말을 전하고 싶다.

- 전남대 동물병원 수의사 이○○ -

삶과 죽음의 경계를 맞이하는 종합병원!

그곳에서의 환자들과의 특별한 순간들, 특별한 만남이 낯설기도 또 무척 낯익은 모습이기도 하다. 환자들의 비극과 희극, 고통과 희망, 아픔과 사랑 등은 매 순간 극적이고 감동적이다.

환자의 육체적인 아픔과 고통을 돌보며 마음의 불안과 고통을 감싸주는 간호사의 소소한 에피소드가 읽는 이의 입가에 미소 짓게 한다.

- 대전 소재 치과의사 양○○ -

간호사가 봉사와 희생의 아이콘에서 벗어났다고 생각하는 사람들에게 들려주고 싶은 이야기. 간호사도 사람입니다. 모든 사람에게 사랑과 봉사 정신을 발휘할 수는 없지만, 나의 직업인 환자를 돌보는 간호사의 직업의식을 가지고 일하다 보면 알아가는 이야기.

독자도 같은 간호사로 나태해지고 지겹게만 생각하는 병원을 다시 돌아보게 할 수 있는 이야기. 의사 위주의 병원이 아닌 간호사가 바라보고 겪는 진짜 병원 이야기. 간호사란 직업이 회의를 느낄 때 읽어봤으면 합니다.

의사들의 병원이야기 말고 간호사와 환자 사이의 이야기가 궁금한 사람들에게 추천하는 이야기.

- 충남대학교병원 간호사 나OO -

저자소개

권 희 선.
대전의 한 종합병원의 간호사이자 작가, 소설가인 그녀.

23살! 꽃다운 나이에 병원에 들어와 어느덧 9년 차가 된 간호사. 우연한 계기로 간호사라는 직업을 가지게 되면서 너무 많은 걸 알게 되었고, 지금은 감사하며 일하고 있다.

물론 처음부터 그런 삶을 살았던 것은 아니다. 역시 우연한 계기로 같은 의료계에 몸담은 사람들을 알게 되면서 간호사로서의 삶이 얼마나 자랑스러운 일인지 다시 생각하게 됐다. 그리고 〈서른에 알게 된 기적의 비밀〉 책의 저자이자, 블로그에 소설을 연재하고 있는 소설가다.

프롤로그

아직도 신규 시절이 엊그제 같은데 벌써 내가 9년 차 간호사라니! 아직도 믿기지 않는다. 내가 신규시절 때 5년 차 선생님만 봐도 "와. 어떻게 저렇게 오래 다닐 수 있을까?"라며 신기해하며 봤으니까 말이다.

23살 나의 신규시절. 나는 그 같은 시절에 군대에 갔던 친구들과 유난이 말이 잘 통했다. 군대 생활과 너무 비슷했으니까. 여자 군대라고도 불리는 간호사들만의 세계. 나는 그 세계 안에서 너무 무섭고 두려운 나날들을 보냈다. 감당 안 되는 응급 상황, 이론과 다른 실제, 나의 무능력함, 그리고 아픈 사람들에게 내 기운을 다 빼앗겨 매일 울며 보냈다. 그렇게 남들처럼 사직이 꿈인 사람 중 하나였다.

나는 간호사를 꿈꿔온 적이 단 한 순간도 없었다. 그리고 아주 우연한 계기로 간호사가 되었다. 그래서 더 간호사가 하기 싫었는지도 모르겠다. 나는 매일 그 선택을 후회했고, 주변에서 누가 간호사를 하고 싶다고 하면 절대 안 된다며 반대하기도 했었다. 특히나 우리 병원의 특성이 나를 더 힘들게 한다고 생각했었다. 그 당시 나를 가득 채우고 있던 생각은 "왜 하필이면 나야!"라는 생각뿐이었다.

그러다 8년 만에 우연히 이국종 교수님의 이야기를 듣게 되었다. 처음엔 믿기지 않았다. 세상에 그런 의사가 존재한다는 걸 도저히 믿을 수가 없었으니까. 그래서 하나하나 검색하며 그분에 대해 파헤치기 시작했고, 그럴수록 그에게 더 감동하며 빠져들었다. 심지어 '국종 전도사'라는 말까지 들을 정도였으니까.

항상 피해자라고만 생각하며 살던 내가 그동안 얼마나 부끄러운 의료인임을 깨닫게 되는 순간이었다. 그리고 그분을 통해 내가 의료인으로서 얼마나 많은 일을 하면서 살 수 있는지, 내가 얼마나 자랑스러운 일을 하며 살고 있는지 자긍심마저 느끼게 되었다.

그래서일까? 9년 동안 숨기고만 싶었던 나의 병원생활을 글로 풀어보고 싶다는 생각이 문득 들어 무작정 쓰기 시작했다. 그리고 그때부터 지긋지긋하기만 했던 병원생활이 즐거워지기 시작했다. 환자들과 대화하는 게 즐거워졌고, 하루하루가 새로웠다. 역지사지의 마음을 그제야 이해하게 됐고, 병원이라는 이름의 또 다른 아름다운 세상의 존재를 알게 되었다. 마치 다시 태어난 기분마저 들었다. 사막에서 오아시스를 만나 기쁨을 만끽하는 나의 기분을 내 책을 읽게 될 독자들에게도 전할 수 있다면 더없이 기쁠 것 같다. 그래서 삭막하고, 무서운 이야기만 가득할 것 같은 병원에서 벌어지는 인생의 희로애락이 담긴 이야기들을 지금부터 꺼내보려 한다.

목차

3장 - 애(哀)

내리사랑

부끄러운 고백

나 좀 살려줘요

어느 날 갑자기 암 선고를 받는다면

이빨 빠진 호랑이의 쓸쓸한 죽음

4장 - 락(樂)

원래 그래요

드라큘라

미안합니다

재미와 감동의 DRG

'같이'의 가치

1장

희(喜)

크리스마스이브의 선물

크리스마스이브. 이브닝 근무 중에 있었던 일이다. 나에게 큰 감동을 주셨던 할머니의 이야기를 해보려고 한다.

외과 환자분은 아니다. 최근에 병원에 여자 병실 자리가 부족해 여자 환자를 받을 수가 없어서 우리 병동 남자 병실 1개를 여자 병실로 변경한 뒤 각과의 여자 환자분들을 받고 있다. 고로 우리 병동은 더 잡과가 됐다. 할머니도 그래서 우리 병동에 입원하게 된 케이스다.

호흡곤란으로 응급실을 통해서 입원한 할머니. 입원하신 지는 일주일 정도 되셨다. 처음 입원한 날 내가 나이트 근무 중에 담당했던 환자분이라 상태가 기억이 난다. 워낙에 만성폐쇄성폐질환(COPD)을 앓고 계신 분이라 천명음(wheezing)이 있는 분인데 입원하는 날은 유독 wheezing이 심했다. 금방이라도 숨이 넘어갈 것처럼 숨을 쉬고 계셨다. 다행히도 피검사 상이나 x-ray, 그리고 기본적인 활력 징후, 산소포화도는 모두 정상이었다.

그래도 불안한 마음에 불편하다는 할머니를 설득해 산소를 하도록 했고, 2시간마다 할머니의 상태를 보고, 활력 징후를 측정했다. 나이트 근무 때

그렇게 자주 측정하면 환자가 잠을 잘 자지 못하기 때문에 웬만하면 안하는 쪽으로 하는데 그날은 내가 좀 불안해서 죄송스러운 마음을 가지고 조용히 할머니를 깨웠다. 내가 죄송하다는 말을 하기도 전에 할머니가 먼저

"아이고.. 나 때문에 잠도 못 자고 안쓰러워서 어떻게.. 미안해서 어쩌나.."

내가 2시간마다 재러 갈 때마다 연신 미안하다를 연발하셨다. 재러 가기가 민망할 정도로 말이다. 오히려 잠 못 자게 계속 깨워대는 나에게.

죄송스럽기도 하고 감사하기도 했다. 다행히 별 탈 없이 그날 밤이 지나갔고, 병원에 호흡기 치료 중 하나인 Nebulizer 약을 아침부터 가져다 드렸다. Nebulizer는 보통 우리가 감기 걸려서 이비인후과 가면 자주 하는 치료다. 5분에서 10분 정도 하얀 연기가 나오는 기계. 아마 감기 걸려서 이비인후과에 가봤다면 알 수 있을 만한 치료다. 이비인후과가 아니라도 호흡기 환자들의 급성기 치료에도 자주 쓰인다.

기계는 공통으로 쓰는 거라 보통 환자분들이 나와서 기계를 가져가고, 쓰고 다시 돌려놓는 식으로 운영한다. 그래서 우리는 시간마다 약만 가져다 드린다. 그런데 할머니가 이거 자주 해봤는데 어차피 효과도 없다면서

안 하겠다는 것이 아닌가. 할 수 없이 아침에 할 일을 거의 다 마치고, 그 기계를 직접 들고 할머니에게 갔다.

"할머니. 이거 해야 돼요. 내가 할머니 안 할 것 같아서 기계까지 직접 들고 왔는데!"

"아이고.. 미안해서 어쩌나.. 내가 괜히 안 한다고 해가지고.. 이렇게까지 해주시는데 내가 해야지 그럼!"

하면서 바로 하시는 모습에 뿌듯하면서도 감사했다. 그날 그렇게 밤샘근무를 끝내고 퇴근한 후 일주일 동안 내 담당 환자가 아니라 직접 할머니의 상태를 본 적은 없었다.

그런데 크리스마스이브인 어제 다시 내가 할머니의 담당 간호사가 되었다. 입원 당시보다 훨씬 호전된 호흡. 이제는 산소도 안 하고, 걷는 것도 평소대로 익숙해지신 듯한 모습이었다. 그리고 저녁 시간 간호사실에 앉아 있는데 할머니가 나오셨다.

"수액이 안 떨어져.. 내가 웬만하면 나오기 싫어서 어떻게 해보려고 했는데.. 내가 이걸 할 줄 알아야지...허허.."

조금만 문제 있으면 호출 벨을 눌러대는 환자들과는 달리 당연한 요구인데도 불구하고 혹시나 본인이 폐를 끼칠까 염려스러워하는 할머니의 마음이 말 한 마디 한 마디에 묻어져 있었기 때문에 내가 더 정성껏 봐 드릴 수밖에 없게 만들었다. 그리고 수액을 봐 드리면서 내 손에 본인의 피가 묻자

"에구. 나 때문에 예쁜 손에 더러운 거 묻혀서 어쩐담.." 하며 되레 죄송해하신다. 정말 천사 같은 할머니. 그래서 나도 괜스레 할머니에게 한마디 더 건넸다.

"할머니~ 입원할 때보다 좋아지긴 한 것 같아요?"

"그럼요! 훨씬 좋아졌죠. 살려줘서 고마워요."

그리고 그 뒤에 이어지는 말.

"내가 구급차를 타고 오는데 꼭 이 병원으로 보내달라고 했거든요. 그런데 구급차 양반이 거기까지 못 간다고, 거기까지 가다가 죽을 수도 있다고. 가다가 죽으면 자기네한테도 책임이 있으니까 못 간다고. 근데 내가 죽어도 그 병원 가야 한다고 그랬지. 그리고 여기 와서 살았잖아요. 여기서 나 살려줬지. 고마워."라고 말하면서 정말 환하게 웃으시던 할머니의

16

모습을 잊을 수가 없다. 정말 눈물이 핑 돌았다. 몇 초 동안은 아무 대답도 할 수가 없었다.

나조차도 우리 병원을 인정하지 않고 있었는데 그런 나를 부끄럽게 만들었다. 우리 병원을 믿고, 우리 의료진들을 믿고, 아니 최고라고 생각해주는 환자도 있다는 걸 알게 해줘서 너무 감사했다. 우리 병원 말고 할머니 집 근처에는 대전에서 최고로 알아주는 대학병원이 있었는데도 불구하고, 죽을 수도 있다는 말에도 끄떡 않고 우리 병원으로 와준 할머니.

나조차도 내가 최고라고 생각하지 않고 일하고 있는데 어떻게 최고의 간호가 나올 수 있겠는가. 나를 다시 한번 자각하게 해주시고, 내게 크리스마스의 감동을 주신 할머니에게 감사한다. 그리고 나를 믿어주는 환자가 있는 한 나도 최선의 간호로 보답하고 싶다.

죽음의 진정한 의미

오늘은 2일 전 수술을 받기 위해 입원하신 분에 대한 에피소드를 써보려 한다. 담당하는 환자가 많다 보니 환자 정보를 일일이 다 외우기는 힘들지만 내가 직접 물어본 환자나 특별한 것이 있었던 분은 기억에 남는다. 이 분은 입원 시 내가 간호정보를 조사하기도 했고, 중간중간 나의 다음 말을 고민하게 만드신 분이기 때문에 모든 정보가 생생하게 기억난다.

오늘의 에피소드는 "수술하신 것 있으세요?"라는 나의 질문에서부터 시작됐다. 그리고 내 질문에 대한 환자의 대답.

"내가 다른 질병은 없는데 수술은 많이 했어요!"

이때까지만 해도 그냥 자잘한 수술이 여러 개 인가보다 하고 생각했었다. 하지만 나의 예상과는 다르게 대장암 수술 2번에 작년에 폐암 수술까지 큰 수술을 3번이나 받으셨다. 나는 그 얘기를 듣고 그분의 나이를 컴퓨터로 다시 확인할 수밖에 없었다.

70대 초반의 나이. 생각보다 많지 않은 나이에 큰 수술을 여러 번 받으셨다는 사실에 놀랐다. 물론 암 수술은 최근에 많아서 단지 암 수술을 많

18

이 받았다는 것에 놀란 것은 아니다. 그분은 93년도에 처음 대장암 진단을 받았고, 그 당시 시한부 판정을 받고 6개월밖에 못 산다는 얘기까지 들었다고 했다. 나는 여기서 처음 말문이 막혔다. 어떤 대답을 해야 할지 생각이 나지 않았다.

'93년도에 시한부 판정을 받았다고? 그럼 여기 계시는 분은 누구?'
'어떻게 살아났느냐고 물어봐야 하나?'
'어떻게 아직도 살아 계시냐고 물어야 하나?'

그렇게 적잖이 당황한 나는 머릿속에 맴도는 수많은 생각이 엉켜 "아니.. 어떻게.."라는 말만 내뱉을 뿐이었다. 하지만 환자분이 그 정적을 깼다. 그 뒤로 잘 살다가 97년도에 대장암이 재발해서 다시 한번 큰 수술을 받았고, 지금은 아예 대장이 없다고 했다. 그 말에 또 한 번 나는 말문이 막혔다.

"아니.. 대장이 없으면 어떻게..?"

나는 그렇게 계속해서 당혹스러웠다. 다행히도 직장이 살아있어 직장과 위를 연결해서 살고 있다고 했다. 그게 여간 불편한 게 아니라며 말이다. 그리고 급기야 작년에는 폐암으로 수술을 받았다. 세 번의 암 수술과 세 번의 항암 치료 그리고 시한부 판정까지. 무슨 영화 시나리오를 듣고 있는 것만 같았다. 내가 영화 시나리오 같다고 느낀 것은 비단 이야기의 내용뿐만이 아니다. 바로 그분의 태도 때문이었다. 마치 남의 이야기처럼 아무렇지 않게 하고 있었다. 그것도 너무 밝게, 농담하듯 얘기해서 나를 더 당황하게 했다.

"내가 93년도에 시한부 판정을 받긴 했는데 여태 잘 살아있어요. 허허허. 작년에는 폐암 수술도 받았지!"라며 말이다. 그리고 겉으로 봤을 때는 그런 큰 수술을 3번이나 받은 사람이라는 것이 믿기지 않게 보였을뿐더러 자신의 질병에 대해 그렇게 객관적으로 보는 사람 또한 병원 생활 이후 처음 봤다. 간호 조사지를 작성하는 것이 아니라 반대로 내가 조사를 당하고 있는 것만 같았다.

신규 간호사 시절로 돌아간 것처럼 그날 나는 유난히 버벅댔다. 그리고 인수인계 시간에 쫓겨 개인적으로 궁금했던 질문들은 자세히 묻지 못하고 거기서 조사를 마무리해야 했다.

그렇게 나는 아쉽게 퇴근을 했고, 바로 오늘 그분을 다시 담당하게 됐다. 오랜 병원생활로 혈관이 없어진 탓에 정맥주사를 놓으려면 시간이 꽤 걸리는 분이었는데, 그 덕분에 이런저런 얘기를 더 할 수 있었다. 그 막간의 시간을 이용해 그분의 암 투병기 2탄을 들을 수 있었다.

93년 당시 52세였다고 한다. 현재 우리 아빠보다 젊은 나이에 암 선고를 받으신 것이다. 젊은 나이에 시한부 판정. 본인도 너무 젊은 나이에 죽을 수 없다고 생각해 그 당시 해볼 수 있는 것은 다 해봤다고 했다. 그리고 의사들조차도 믿지 못하게 살아났다. 어떤 의사는 심지어 자기 앞에 있는 사람은 죽은 사람이라고 했을 정도라고 했으니 말이다. 하지만 또 한 번의 재발로 다시 수술과 항암 치료를 받아야 했다. 그게 끝이길 바랐지만, 최근까지도 폐암 수술에 항암 치료를 한 번 더 받았다.

그 이야기를 하며

"사는 게 사는 게 아니에요. 허허."라고 했지만, 그분의 표정은 평온하고 밝았다. 너무 궁금했다. 그렇게 밝을 수 있는 이유가 도대체 무엇인지. 그래서 물었다.

"큰 수술을 여러 번 받으셨는데 어쩜 그렇게 밝으신 거예요?"

그리고 그 뒤에 대답이 나의 가슴을 울렸다.

"죽음을 받아들이면 돼요. 죽음을 두려워하지 않으면."

나는 또 한 번 3초 정도 말문이 막혔다. 생각지도 못한 대답이었다. 죽음을 받아들인다? 강의나 책에서만 보고 듣던 말을 내 앞에 환자가 하고 있었다. 그리고 그 말은 그 어떤 강의나 책에서보다 몇 배는 더 큰 감동으로 나를 찾아왔다.

"아.. 이런 건 강의에서나 듣던 얘긴데.. 죽음이 받아들여지세요? 두렵지 않으세요?"

나는 믿을 수 없다는 듯 다시 한번 질문을 던졌다. 그러자 그분은 내게 이렇게 답했다.

"인간은 어차피 한 번은 죽는걸요? 언제 죽어도 좋다고 생각하고 살면 죽음이 전혀 두렵지 않아요. 그리고 모든 것이 받아들여져요."

그리고 나는 그분의 얼굴을 다시 한번 봤다. 그 말을 하며 행복한 표정을 짓고 계시던 그분의 표정을 나는 잊을 수가 없을 것 같다. 마치 모든 것을 그저 받아들이라는 석가모니의 가르침을 듣고 있는 기분이었다. 심지어 내가 지금 천국으로 올라가는 계단의 문턱에 서 있는 것인가 하는 착각까지 들게 했다.

죽음의 고비가 있었다고 해도 그 죽음을 온전히 받아들이기란 쉽지 않다. 죽음의 그림자가 늘 드리워진 곳에 일하는 나조차도 죽음은 언제나 남의 일이고 받아들이기 힘든 일이었으니 말이다. 머리론 알지만 늘 멀리 있는 것 같았던 죽음이라는 존재를 다시 한번 깨닫게 되는 날이었다. 나에게 큰 깨달음을 주는 환자분들께 감사한다. 그리고 이 일을 할 수 있어서 또 한 번 감사했다. 나보다 인생을 먼저 사는 인생 선배의 조언을 돈까지 벌어가며 듣고 있는 셈이니 말이다.

인생은 유한하다. 즉, 죽음의 진정한 의미를 깨달으면 모든 것이 평안해지고, 행복해진다는 것을 직접 내 눈으로 확인한 오늘이다. 그리고 생각했다. 나는 어떤 삶을 살고 있는가? 나는 죽음을 받아들일 준비가 되어있는가? 어느 정도는 그렇다고 대답할 수 있을 것 같다. 나는 간혹 정말 내리기 힘든 고민이 있을 때 가장 마지막 수단으로 죽음에 질문을 던진다.

"지금 당장 죽는다면?"

그러면 신기하게도 고민이 풀려 버린다. 죽음 앞에 어떤 것도 우선될 수 있는 것은 없기 때문이다. 삶은 영원하지 않다는 진리. 그 진리를 깨달으면 급할 것도, 부족한 것도 없이 그 자체로 만족하는 법을 배우게 된다. 이렇게 죽음은 우리에게 무섭고, 두렵고, 위협적인 존재가 아니라 모든 것을 수용하는 넓고 넓은 바다와 같은 것이 아닐까? 우리에게 어떤 깨달음을 주기 위해 죽음이 존재하는 것은 아닐까? 우리가 오만방자해지지 않도록 결계를 쳐 놓은 것이리라. 모든 것을 수용하고, 포용할 수 있는 바다와 같은 마음을 우리는 비로소 죽음이라는 것을 통해 얻게 되는지도 모른다.

오늘따라 죽음이 따뜻하고, 아늑하게만 느껴진다.

너의 소원이 이뤄지지 않았다고 불평하지 말고,

오히려 삶이 일어나는 대로 받아들여라.

그러면,

넌 어떤 상황에서도

행복하게 살 수 있을 것이다.

- 류시화 [하늘 호수로 떠난 여행] 중 -

익숙함에 속지 말자

또다시 시작된 나이트(야간) 근무. 보통 환자들 다 자는 시간에 뭘 하냐고 물어보는 사람들이 있다. 그냥 밤새 환자들을 지키고 있는 당직처럼 보는 사람도 있다. 하지만 그 긴긴밤이 어떻게 지나가는지 모를 정도로 할 일이 많다. 우리에겐 조용하지만 분주한 밤이다.

일단 바쁜 일과시간에 우리가 혹시 빠뜨렸을지 모를 처방들을 죄다 확인해야 하고, 혹시나 빠진 것들이 있으면 채워 넣는다. 그리고 내일 해야 할 일들을 꼼꼼히 점검하며, 내일 할 일의 계획을 세워놓는다. 깨끗하게 청소를 하고, 물품들을 곳곳에 채워 넣는다. 환자의 검사 결과를 리뷰하는 일 또한 밤에 하는 일이다. 한마디로 내일 문제없이 일 할 수 있는 환경을 잘 만들어 놓는 일이 바로 나이트 근무자의 일이다.

오늘은 월요일. 일주일의 시작이라 온갖 처방들이 쏟아지는 날이다. 그래서 더 꼼꼼하게 눈이 빠지게 컴퓨터 앞에서 처방들을 확인하는 날이기도 하다. 그리고 혹시나 내가 빠뜨린 것이 없는지 또 한 번 점검하고 리뷰한다.

오늘도 여느 때와 다름없는 바쁜 월요일 나이트를 보냈다. 바쁜 나이트 근무를 강조하기 위해 글을 쓰는 건 아니다. 일단 본론으로 들어가기 전에 내가 있는 병동에 관해 소개부터 해야 할 것 같다. 내가 근무하고 있는 병동은 잡과여서 모든 과가 다 입원을 한다. 하지만 주 메인과는 신경외과, 외과, 비뇨기과 이 세 과가 메인인 병동이다. 수술 환자들이 오고 가는 병동이다.

나는 외과가 좋다. 자잘한 수술들도 외과에서 하지만 큰 수술 또한 외과에서 한다. 자잘한 수술을 예를 들자면, 치질, 맹장, 하다못해 발톱 빼는 수술도 외과수술이다. 하지만 교통사고로 인한 응급 수술, 대장암, 위암 이런 암 수술 또한 외과에서 한다. 그중 우리 병동에서 가장 큰 수술로 치는 대장암 수술. 신경 써야 할 부분들이 꽤 많아서 대장암 수술이 잡히면 나 또한 긴장한다. 수술 전부터 혹시 준비가 빠지지는 않았는지 더 꼼꼼히 보게 된다.

며칠 전 대장암 진단을 받으신 환자분이 입원하셨다. 그날부터 지금까지 쭉 내 담당 환자로 보고 있고, 그래서 더 꼼꼼히 보고 또 봤다. 오늘 수술이셨기 때문에 수술 바로 전날 나이트 근무인 나는 여느 때와 다름없이 준비할 건 또 없는지 하나하나 확인했다. 그렇게 다른 환자들까지 다 리뷰하고 나니 어느새 시간은 새벽 2시를 가리키고 있었다. 그때야 환자가 눈에 들어오기 시작했다. 아까부터 안 자고 돌아다니던 분이 누구였는지. 대장암 수술을 앞둔 그 환자분이었다. 수액을 맞고 있느라 화장실 때문에 왔다 갔다 하시는 줄만 알았다. 2시가 돼서야 환자분께 말을 걸었다.

"잠이 안 오세요? 왜 안 주무세요? 내일 수술이라 주무셔야 할 텐데.."

그러자 환자가 너털웃음을 지으며.

"그러게요.. 수술하려면 자야 하는데 잠이 통 오질 않네요.."

그리고 이어지던 말.

"여기는 이런 대장암 수술하는 사람들 많이 왔다 가고 그러죠?"

순간 아차 싶었다. 가장 중요한 환자의 마음을 생각하지 않았던 나 자신이 부끄러워졌다. 그랬다. 나에겐 익숙한 대장암 수술. 그냥 수술 중 하나일 뿐이었다. 하지만 그분에게는 익숙하지 않은. 처음 겪어야 하는 큰 수술이었을 것이다. 그런 수술을 앞두고 어떻게 불안하지 않을 수 있단 말인가. 어떻게 편안하게 잘 수 있을까? 나는 그저 그 수술이 성공적으로 될 수 있게 포장만 열심히 하고 있었던 것이다. 안에 내용물의 상태는 확인하지 않은 채.

수술 전후 처치도 물론 중요하다. 하지만 수술하는 당사자의 마음은 어땠을까? 우리가 매일 보는 대장암 수술. 암 수술을 많이 보다 보니까 나조

27

차도 무뎌져 있었다. 기계처럼. 그리고 서류처럼 환자를 대하고 있었던 건지도 모르겠다. 특히나 이분은 건강검진으로 초기에 발견된 환자분이었기에 대장암 중에서도 초기에 해당했고, 항암 치료 또한 필요 없는 분이었다. 그래서 대장암 수술 중에서도 정말 간단하게 제거만 하면 되는. 그런 수술로 생각하고 있었다.

그리고 평소에 말을 별로 하지 않으시고, 항상 웃고 계시는 얼굴 때문에 전혀 걱정하시는 줄 몰랐다. 나와 같이 환자도 그렇게 간단하게 받아들이고 있다고 착각하고 있었다. 저 말 한마디에 그동안의 나의 착각을 한순간에 깨주셨다. 그리고 생각해봤다.

'만약 내가 대장암 수술을 받는다면..?'
'항암 치료 안 받는다고 간단한 수술이라고 생각할 수 있나?'

아니었다. 나는 지금 당장 맹장 수술을 해야 한다고만 생각해도 걱정이 먼저 앞서는 사람이었다. 그런데 맹장이 아닌 대장암 진단도 버거운데 내일 수술이라니. 애써 괜찮은 척하고 계셨던 것이다. 당연히 잠이 안 올 수밖에 없는 상황이었다. 그제야 나는 환자에게 대장암 환자들의 수술 경과, 그리고 추후 처치들, 예후 등등. 그리고 항암 치료가 필요 없다는 것을 강조하며, 이렇게 발견된 것만 해도 천운이라면서 내가 할 수 있는 최선의 위로를 전했다.

그리고 30분 정도가 지났을까? 다시 들어가 본 병실에서 그분은 코를 고시면서 주무시고 계셨다. 다행스러운 마음과 죄송스러운 마음이 함께 교차했다. 왜 진작 알아드리지 못했을까. 왜 진작 설명해드리지 못했을까. 입원했을 때부터 나는 그날 있을 검사와 처치들, 그리고 내일 있을 검사와 처치들만 설명하기에 급급했다. 바쁘게 내 말만 랩처럼 하고 나가고를 반복하는 나에게 그런 감정들을 차마 털어놓기가 힘들었을 거로 생각한다. 그동안 나 혼자의 만족이었던 것이다. 주체인 환자를 빼놓고 말이다.

물론 병원에서 환자를 상대로 실수 또한 주의해야 한다. 하지만 그전에 환자의 마음을 이해해 주는 게 먼저라는 생각이 든다. 아직은 많이 부족한 간호사지만, 앞으로 그럴 수 있도록 노력해야겠다.

오늘도 환자분들로부터 많이 배울 수 있었던, 그런 감사한 하루였다. 어쩌면 내가 환자분들을 사람으로 만들어주는 것이 아니라, 환자분들이 나를 사람으로 만들어 주는 것은 아닐까 하는 생각도 해본다.

기억해준다는 것

누군가 나를 기억해 준다는 건 정말 행복하고 감사한 일이다. 반대로 누군가를 기억할 수 있다는 것. 내가 가지고 있는 유일한 장점이기도 하다. 나는 뛰어난 언변술도 없고, 빠른 대처력도 부족하다. 융통성도 없을지도 모른다. 그러나 내가 유일하게 우리 환자들에게 어필할 수 있는 능력은. 기억! 그것 하나다.

우리 병원의 특성상 퇴원하면 끝이 아니다. 언젠가 다시 오게 될 손님이다. 아니 잠깐 외출을 간다고 생각하는 게 맞을지도 모른다. 나는 그렇게 오고 가는 환자들을 마치 사진이라도 찍어놓듯이 그 사람이 쓰던 침상까지도 기억하곤 한다. 그리고 사소한 이벤트들, 그들의 캐릭터까지도 기억한다. 간호정보 조사지를 보자마자 생각이 날 때도 있고, 얼굴을 보자마자 저 밑에 숨어있던 기억들이 샘솟듯 올라오기도 한다. 그리곤 한마디를 건넨다.

"아! 전에 오셨던 딸기 할아버지 맞죠!!! 3호실에 계셨던!"
"전에 OO 때문에 저희 병동 입원하셨죠~ 그거는 이제 괜찮아 보이셔서 다행이네요!"

그러면 아파서 찡그리고 있던 그분들의 얼굴에 이내 미소가 번진다.

"어! 나 알아? 맞아! 나 그때 이 병동에 입원했었어!!"

물론 그들은 나를 기억하지 못한다. 하지만 그 사소한 한마디로 인해 나와의 라포가 형성되고, 삭막하고 무서운 병원이 아닌 따뜻한 병원으로 변한다. 아픈 환자와 웃으면서 대화할 수 있는 유일한 방법이 아닐까 생각한다. 이것이 나의 병원생활 필살기가 아닐까? 감사하게도 환자들이 나를 좋게 봐주는 이유이기도 할 것이다. 반대로 나를 먼저 기억해 주는 환자분들도 있다.

"전에 5층에 있지 않았었나??"

몇 년 전 일인데 그것을 기억해주는 분들이 있다. 그럴 때는 바빠서 정신이 없을 때조차도 신나서 얘기하기도 한다. 별것 아니지 않은가? 단지 그 사람에 대해 단 한 가지만 기억해줘도. 이내 마음이 따뜻해짐을 느낄 수 있다.

"인간 최고의 의무는 타인을 기억하는 데 있다." - V. 위고 -

V. 위고의 말처럼 누군가를 기억한다는 것은 우리의 의무이다. 누군가가

우리를 기억해 주지 않는다면, 우리의 존재는 과연 의미가 있다고 볼 수 있을까? 누군가의 기억 속에 살아있다는 게 우리가 존재할 수 있는 이유가 아닐까? 아주 사소해 보이지만, 그 사소한 거로 인해 우리의 삶이 의미가 생기는 것이다. 우리가 공기 없이는 한순간도 살 수 없는 것처럼. 누군가가 나를 기억해 준다는 사실 하나만으로도 행운이며, 축복이다. 그리고 감사한 일이다.

나를 기억해주는 사람이 단 한 명이라 할지라도, 그 자체만으로 우리의 존재는 의미를 부여받는다. 우리가 살아가는 이유의 의미를 말이다. 기억해 준다는 것 자체가 얼마나 가치 있는 일인가. 그래서 나는 앞으로도 한 분 한 분 더 기억하기 위해 노력할 것이다. 그리고 내가 존재할 수 있게 나를 기억해 주는 모든 분들에게 감사함을 전한다.

익숙해진 것들에 대한 감사

감사한 것을 찾아보자고 생각한 지도 벌써 1달이 되어간다. 그리고 얼마 전 알게 된 이국종 교수님. 그래서인지 요즘은 매일같이 짜증 나고 싫었던 병원에서 감사를 느끼고 있다. 예전처럼 그렇게 짜증이 나지도, 화가 나지도 않는다. 미친 것 같을 정도로 말이다.

오늘은 이브닝(오후) 근무였다. 전체 인수인계 때 퇴원한 지 1달~2달쯤 되었던 환자 이름이 적혀 있었다. 나는 그게 나쁜 소식일 거라고는 생각지도 못했다. 그런데 오늘이 삼일장 마지막 날. 발인 일이라고 했다.

처음 할아버지가 우리 병원에 입원했을 때가 떠올랐다. 보호자가 유난히 까칠했고, 오자마자 보호자들이 번갈아가며 엄청 간호사실에 나와서 기억이 난다. 내 담당 환자는 아니었지만, 기억이 나는 걸 보면 보통은 아니었던 것 같다. 할아버지는 마치 말 못하는 사람마냥 대답도 안하고 그냥 멀뚱히 우리를 보기만 했었고, 그런 할아버지를 그냥 나 또한 별말 없이 봐왔었다. 주치의 회진시간에만 어디 사는지 누구인지 정도만 말하는 정도였다.

처음에는 식사도 잘 못 넘겨서 폐렴을 달고 살았던 분이라 L-Tube(비

33

위관-일명 '콧줄'이라고도 부른다. 입으로 못 먹는 사람들을 위해 코로 관을 끼어서 영양식을 주는 관)를 삽입하네 마네 했던 분인데 나중에는 식사도 잘하셨고, 슈퍼마켓 전단을 종일 보고 계셨던 분이라 일명 '슈퍼 할아버지'라는 별명도 가지고 있던 할아버지.

그렇게 점차 상태가 좋아져 말씀도 하셨고, 우리의 말에 반응도 하며 점차 좋아졌던 게 생생히 기억난다. 그래서 아들 집 근처의 요양원으로 가겠다며 퇴원했던 게 8월 말이었던 것 같다.

그런데 2달도 채 지나지 않아서 이런 소식이 들릴 줄이야. 그것도 수선생님이 퇴원 후 전화 서비스를 하는 와중에 오늘이 발인하는 날이라며 전화를 받았다고 하셨다. 아마도 aspiration(사레)으로 인한 arrest(심정지)가 원인인 것 같다고 보호자가 그랬다고 했다.

인명은 하늘의 뜻이라고도 하지 않는가. 그렇게 생각은 하면서도 아쉬운 마음이 들지 않는 것은 아니었다. 우리 병원에 계속 있었으면 그렇게 가시지는 않았을까? 좋아지고 있다가 갑작스러운 비보를 들으니 너무 안타까운 마음에 별생각이 다 들었다.

그러면서 우리에게 이미 익숙해져 있듯 계시는 환자들이 생각났다. 우리와 너무 가까워서 그들의 존재를 잊고, 나도 모르게 귀찮게 생각했는지도 모를 그런 환자분들이.

감사하게도 우리의 안부를 물어봐 주는 우리 환자들. 출근할 때 밝게 인사해주고, 내가 며칠 쉬다 오면 쉬고 온 줄도 알아봐 주시고, 야간근무하면 고생한다고 얘기해주는 그런 환자들이다.

오늘은 침대와 침대 사이에 보호자 침대가 딱 붙어있어서 IV line(정맥주사 바늘)을 빼주고 나오다가 침대 바퀴에 걸려서 넘어질 뻔했다. 복사뼈 쪽이 닿아서 조금 아프다 하고 있을 때. 내 옆에 있던 환자가 말했다.

"아이고! 조심해야지~!"

나는 웃으며 괜찮다고 걱정하지 마시라고 했는데도 내 걱정을 해주셨다.

"권 간호사 다치면 큰일 나!!"

별거 아니라면 별거 아닌 이 말이 나를 아껴주는 말의 표현이어서 감사했다. 대단한 간호사도 아닌 나에게 간호사라며 내가 다치면 안 된다고 말해주는 우리 환자들. 그만큼이나 나를 의지하고 있는 환자들일지도 모른다. 감사하면서도 인정받는 기분이라고 할까.

다른 병원 다녀오면 우리 병원 간호사들이 매일 늦게 간다면서 고생한다고 말해주는 환자분들.

"힘들지...? 얼마나 고되 그래.."

이런 말들을 들을 때마다 아이러니하게도 힘이 난다. 알아준다는 것 그 자체에 말이다. 야간 근무라도 하는 날이면, 얼른 들어가라며 걱정해주신다. 그리고 어떤 환자가 야간 근무한 나에게 뭐를 원하면 옆에 환자가 나서서 여기는 밤새워서 얼른 들어가야 하니까 다음번 간호사 오면 그때 얘기하라며 나를 대신해 대변까지 해준다. 그럴 때마다 얼마나 든든한지 모른다.

너무 익숙하지만, 나에게는 어쩌면 가족처럼 되어버린 우리 환자들. 80년대까지만 해도 나라를 위해 싸웠지만 어디 가서 대접받지 못했다는 걸 알게 된 이후로(이국종 교수님 일화를 통해 알게 되었다.) 우리 병원에서라도 떵떵거리며 마치 자기가 주인인 양 구는 유공자분들이 조금은 이해가 되기 시작했다.

지금도 우리 병원 말고, 다른 병원에서는 심한 말로 말하면 거의 노숙자 취급을 받기도 하신다. 하지만 우리 병원만 오면 소리를 지르고 온갖 진상을 부린다. 얼마나 말하고 싶었을까? 본인의 노고를. 아마 들어달라고 어리광을 부리는 걸지도 모른다.

  우리는 중증환자를 치료하기에는 적합한 병원은 아니다. 하지만 저분들의 마음을 보듬어 주는 병원이 되어주는 것이 우리의 일이 아닐까 생각해 본다. 가족 같은 병원. 마음이 따뜻한 그런 병원 말이다. 진심으로 걱정해 주고 손잡아 줄 수 있는. 그런 넓은 마음으로 들어주고 이해해 줄 수 있는 그런 병원. 나 역시 그런 의료진으로 진심을 다해 환자에게 다가가고 싶다. 그동안 환자분들의 말을 하나하나 귀담아 드리지 못해 죄송스럽다.

2장

로(怒)

역지사지

화가 나는 일이 있었다. 출근해서 인수인계를 듣는 순간 나도 모르게 욱해서 욕이 나올 뻔했다. 아무리 생각해도 이건 아닌 것 같다는 생각이 든다.

지난주 금요일 바빴던 근무. 그 바쁜 근무의 원인이었던 한 할머니 환자. 두통 호소로 검사를 했는데 SDH(subdural hematoma:뇌 경막하 출혈)이 생겨 입원해서 안정을 취하면서 경과를 지켜보기 위해 오신 분이었다. SDH 환자는 급성이 아니라 응급수술을 바로 해야 하는 케이스는 아니다. 안정을 취하면서 머리에 고인 피가 자연적으로 흡수되기를 입원해서 지켜보는 것이다. 두통이 심해지거나 다시 찍은 CT상에 피가 전혀 흡수되지 않고, 피의 양이 증가하면 그땐 응급수술이 필요하다.

입원한 지 2주 정도 지났는데 머리는 크게 이상 소견은 없었다. 하지만 할머니의 피검사 수치상 HB(혈색소)가 떨어져 있었다. 흔히 환자에게 설명할 땐 빈혈 수치라고 설명하기도 하는 검사 수치다. 그 수치가 입원했을 때보다 떨어져 있었고, 자세한 검사를 위해 소화기내과 협진을 통해 위내시경과 복부 CT 등을 찍었다. 다행히 위 내시경상에서 출혈 소견은 없었다. 하지만 복부 CT가 문제였다.

금요일 오전 복부 CT를 찍었고, 그 상에서 예상치 못했던 소견이 나왔다. CBD Cancer(총담관 암)라는 결과가 판독되어 나온 것이다. 보통은 확실치 않으면 R/O(의증)을 붙여서 판독이 나오곤 한다. 근데 이분은 R/O도 앞에 붙지 않았었다. 우리 병원에서는 CBD Cancer 수술은 안 한다. 3차 병원으로 가야 하는 상황이었다. 하지만 보호자가 할머니에게 일단 비밀로 하자 했고, 지금 크게 불편해하지 않으니 추가 검사를 여기서 다 받고 3차 병원을 결정해서 가고 싶다고 했다.

그래서 그날 부랴부랴 부탁해서 CT보다 더 자세한 검사를 위해 MRCP(자기공명췌담관조영술) 검사를 진행했고, 그게 일과시간 지나서 시행한 검사라 판독이 나오지 않았다.

나는 마침 당직이라며 심심해서 올라왔다는 외과 의사를 붙잡고 제발 좀 MRCP 결과가 어떤지 봐달라고 부탁했다. 외과 의사는 내 부탁대로 그 검사영상을 보더니 나에게

"응급은 아니지만, 담관을 연결하고 있는 관이 많이 늘어나 있고, 3차 병원에서 수술이 빨리 가능하다면 전원을 가야 하고, 수술이 밀려있다면 관이라도 삽입해서 감압이라도 해줘야 한다."라고 자신의 소견을 이야기해 줬다.

다음날 오전 그 상황을 주치의에게 이야기했고, 전원을 당장 보낸다 해

도 주말이라 그쪽에서도 수술이 바로 진행되거나 할 게 아니니 일단 주말 동안 지켜보자고 했다. 혹시나 배가 아프거나 열이 심하게 나면 주말이라도 당장 전원을 보내겠지만, 별일이 없다면 월요일에 소화기내과와 상의해서 전원 여부를 결정하겠다고. 다행히 할머니는 주말 동안 열도 없었고, 복부 통증, 두통 호소 등 아무것도 없었다.

월요일이 됐다. 하지만 보호자도 경황이 없어서 결정을 못 한 이유도 있었고, 아직 추가로 나간 피검사도 나오지 않았고, 환자의 증상도 심하지 않아서 그날 당장 전원을 가진 않았다.

결국, 화요일에 검사를 진행했던 소화기내과 의사와 면담을 했고, 3차 병원을 정해서 알려주면 소견서와 검사결과지 등 필요한 서류를 작성해주겠다고 했다. 화요일 늦게 일이 진행됐던 터라 보호자가 하루 정도 더 생각해본다고 했다. 그다음 날 아침 주치의와 상의하고 결정하겠다고 말이다.

보호자가 말한 그다음 날 아침이 됐고, 주치의는 상황을 설명했다. 보호자는 3차를 가기로 했고, 필요한 서류는 소화기내과에서 해주기로 했기 때문에 소화기내과 협진을 다시 의뢰해야 하는 상황이었다.
아침 9시에 면담. 소화기내과에서 서류만 완료되면 퇴원하겠다고 했기 때문에 사실상 우리 병원에서는 한 가지 절차만 남아있는 상황이었다. 소화기내과 협진. 그 한 가지 절차.

금방 협진의뢰를 해주겠다고 내려간 의사. 하지만 오후 4시가 돼도 협진을 의뢰하지 않았고, 급기야 보호자가 화가 나서 간호사실에 나왔다. 도대체 어떻게 된 거냐고. 왜 아직도 소화기내과는 아무 연락이 없는 거냐고 말이다. 의뢰 자체가 안됐는데 소화기내과가 무슨 잘못이란 말인가.

우리는 기다리다가 도저히 안 되겠기에 주치의에게 전화했다. 의뢰 좀 해달라고. 응급도 아닌데 급하게 전화한 우리에게 핀잔이라도 주듯 어차피 지금 시간이 늦어서 지금 쓴다 해도 내일 봐줄 거라고. 내일 쓰겠다고 했다. 보호자가 빨리 봐달라고 나오셨다고 해봤지만

"그분도 참 급하신 분인가 봐요."

라는 대답만 돌아올 뿐이었다. 나는 이 상황을 그저 전해 들었을 뿐이다. 하지만 너무 화가 났고, 욕이 나올 정도였다.

'에이씨.. 너라면 그렇게 했겠냐고!!'
내게 인수인계를 주던 후배는 보호자가 엄청 화를 내서 진상스럽다고 했지만, 그런 후배에게 나는 "보호자가 화낼만하네!"라고 답했다. 아니 그 정도는 착한 거였다. 내가 보호자였다면 멱살이라도 잡았을지도 모른다.

42

물론 지금 당장 응급실로 밀고 들어갈 정도의 응급환자 케이스는 아니다. 하지만 하루라도 빨리 진행이 돼야 수술 일정을 잡더라도 하루빨리 잡을 것 아닌가. 그리고 머리 때문에 온 환자가 갑자기 배 쪽에서 암이라니. 예상이나 했던 일이겠는가. 며칠 전 보호자가 이러지도 못하고 저러지도 못하는 상황에 혼자 너무 버거워 울고 있는 모습을 본 적이 있다. 충분히 이해가 갔다. 정작 환자에게 말도 못 하고 혼자 감당해야 하는 보호자의 마음을.

그 모습을 얼핏 봤는지 할머니가 우리를 불러 슬쩍 물어보기도 했었다.

"나 무슨 큰 병 있는 거지? 우리 딸이 나한테 뭔가 숨기는 게 있는 것 같아.. 왜 갑자기 큰 병원을 가야 하는 거야?"

비밀이기에 어쩔 수 없이 우리는 대충 둘러대야 했지만, 할머니는 믿지 않는 눈치였다. 그도 그럴 것이 하루에도 몇 번씩 우리가 배는 안 아프냐, 머리는 좀 어떠냐며 물어대고, 열은 수시로 재고. 이런 상황에 할머니도 말은 안 하셨지만 얼마나 불안했겠는가.

차라리 할머니가 배라도 아프다고 했으면 3차 병원 응급실이라도 얼른 밀어 넣을 텐데 라는 생각마저 들 정도였다. 아무렇지도 않다며 애써 웃어

주시는 할머니가 그저 너무 안쓰러웠다. 그런 마음을 조금이라도 안다면 어떻게 저런 말과 행동을 할 수 있단 말인가.

어차피 늦었다고? 의뢰만 하면 당장에라도 아니 그 소화기내과 의사 핸드폰이라도 바로 연결해서 봐달라고 우리가 부탁했을 것이다. 그리고 그분도 급한 분이다? 지금 급하지 않게 생겼느냐 말이다. 아무렇지 않게 잘 지내온 분에게 암이라는 진단이 떨어졌는데 급하고 초조한 게 당연한 것 아닌가? 벌써 며칠인가. 아무것도 안 하고 지켜본 날이. 보호자가 안 가겠다고 떼를 써도 설득해서 가야 할 판국에 보호자에게 급하다니. 본인이 너무 태평한 것 아닌가. 본인 일이라면 그랬을까? 내가 같은 상황이었으면 나는 더 심하게 병원을 들들 볶았을 거다.

하루아침에 청천벽력같이 날아온 암 선고. 그걸 받아들이기만도 벅찬데 그 뒤에 이어질 치료들을 결정해 나가야 하는 보호자의 심정. 애써 덤덤해져야 하는 그 심정을 알기나 알까. 아니면 무뎌진 걸까. 나보다 더 오랜 병원생활을 하면서 이런 상황에 무뎌져 버린 걸까?
물론 고령에다가 증상도 심하지 않아 하루, 이틀 정도 병원에 늦게 간다고 해서 암이 하루아침에 커지고, 급하게 위독한 상황으로 빠지고. 그런 상황은 아니다. 하지만 내가 화가 났던 건 그 병에 대한 위급함 때문이 아니었다.

우리에겐 그저 많은 일 중 하나일 수 있다. 하지만 그 환자와 보호자에겐 오직 그 하나의 문제가 가장 큰 문제다. 그들의 일상을 하루아침에 통째로 바꿔놓을 수 있는 그런 큰 문제. 우리에겐 무뎌져 별거 아닌 병일지라도 그들에겐 세상에 어떤 큰 병보다 더 큰 병일 것이다. 여기서 왜 또 이국종 교수님의 말이 생각나는지 모르겠다.

"분명한 거는 의사들이 사람이 할 수 있는 바를 다 해야 해요."
물론 진료가 바쁘고, 보는 환자 수가 많다 보면 늦어질 수도 있다. 나도 바쁜 날에는 환자가 해달라는 바를 바로바로 해 줄 수 없는 경우도 많으니까. 그리고 절차상 그 의사가 잘 못 한 건 없다.

하지만 말 한마디라도, 마음만이라도 진정 그들을 한 번 더 생각해 줄 수는 없었을까? 그들의 입장으로 한 번만 생각해 본다면 단 몇 분만 시간 내서 쓰면 되는 그런 걸 귀찮아할 수 있을까?

너무도 답답하고 화가 나는 마음을 주체할 수가 없어 주저리주저리 써 본다. 나만의 공간에. 그리고 역지사지라는 말. 그 말의 의미가 뼈저리게 느껴지는 하루였다.

Dementia(치매)

오늘의 주제는 Dementia(치매).

월요일 이브닝 근무. 정말 오후 4시부터 9시 30분까지 미친 듯이 바빴다. 일이 끝날까 싶을 정도로 말이다. 우리 병원 특징상 요양병원보다는 아니겠지만, 치매 환자분들이 꽤 많이 온다. 거의 치매를 마치 고혈압처럼 기저질환으로 깔고, 들어온다고 보아도 될 정도로 말이다. 단지 치매의 경중의 차이가 있을 뿐. 그렇게 거의 치매약을 복용하고 있어서 우리는 매년 챙겨야 하는 골다공증 검사처럼 치매 검사를 매년 날짜를 맞춰 챙기는 것도 우리의 기본일이 되어버렸다.

우리는 조금 심한 치매 환자가 입원하면 걱정부터 한다. 보호자는 옆에 있을 수 있는지부터 까다롭게 따진다. 우리도 그럴 수밖에 없는 것이 간호사 인력은 적은 상황에서 수많은 환자를 보게 되기 때문에 치매 환자는 그만큼 신경이 많이 쓰이고 일도 많아지게 되기 때문이다.

오늘은 그런 환자였다. 그것도 2인실은 병실 중에서도 맨 끝에 있어서 간호사실과도 거리가 있었다. 거기다 다인실도 아닌 2인실!! 2인실은 6인실과 달리 치매 환자를 봐줄 다른 환자도 극히 적어진다. 처음에는 그렇게 심한 치매인지 몰랐다.

　치매에다가 낙상 고위험. 저번에도 넘어져 눈과 이마가 찢어져서 입원했던 환잔데, 이번에 또 넘어져서 입원했다. 낙상 고위험에 치매까지 그 자체로 엄청 불안 불안한 환자였다. 거기다 할머니까지 계속 없어지셔서, 할머니가 가시고 나면 바로 수액을 빼곤 하셨다. 마치 드라마에서 수액을 빼는 장면처럼 말이다! 드라마는 드라마일 뿐. 현실에서는 피가 철철 나는 상황만이 존재한다.

　어떤 환자가 간호사실을 지나가다가 무심코 8호실 근처에 피가 떨어져 있다고 했고, 나는 누굴까 곰곰이 생각하다가 9호실 할아버지가 바로 생각나 병실로 달려갔다. 역시 내 예상대로 할아버지는 수액을 빼고, 피를 철철 흘리고 있었다. 그리고 아까까지만 해도 옆에 있던 할머니는 홍길동처럼 또 온데간데없었다.

　나는 한숨부터 나왔다. 안 그래도 입원과 회진이 몰리는 바쁜 시간이었기 때문이다. 어쩔 수 없이 나는 하던 일을 멈추고, 시트랑 옷을 갈아드렸다. 그리고 일부로 주치의가 회진 올 때까지 수액을 연결 안 하고 있었다. 드디어 회진을 온 주치의에게 나는 보호자가 계속 없기도 하고, 할아버지가 계속 수액을 뺀다며 수액을 주지 말자고 설득시켰다.
　그런데 할아버지가 다시는 그런 일이 없도록 하겠다며 나오는 것이 아닌가. 그리고 언제 왔는지 때마침 옆에 할머니도 있었다. 그래서 나는 할 수 없이 불안한 마음을 누르며 수액을 다시 놔드렸다.

오후 7시 30분. 그 옆에 할아버지가 치매 할아버지의 수액을 들고 간호 사실로 나왔다.

"그 할아버지 또 뺐어!!!"

가보니 할머니는 또 온데간데없고, 혹시나 피는 안 나는지 살폈는데 다 행히도 피는 나오지 않았다. 일단 다행한 한숨을 쉬고는 할아버지에게 왜 뺐느냐고 묻자

"다 맞아서 뺐지!"

나는 설마 다 맞아서 뺐을까 싶어서 할아버지에게 다시는 그러면 안 된 다고 신신당부하며 다시 수액을 안 놔주겠노라며 협박을 하며 나왔다. 그 리고 다시 간호사실로 돌아와 남은 수액을 정리하려는 순간 아차 싶었다. 정말 할아버지가 말한 대로 수액이 다 들어간 상태였다. 할아버지는 본인 나름대로 정말 다 맞아서 뺀 것이다.

나는 그 순간 치매 환자라는 선입견에 갇혀 할아버지의 말을 다 진실이 아니라고 생각했던 내가 너무 부끄러웠다. 할아버지의 말을 무조건 색안경

을 끼고 보며, 들으려 하지 않았던 나 자신이 말이다.

그래도 자꾸 수액을 빼는 건 안전상 위험이 있어 주치의에게 수액중단 처방을 받았다. 그리고 바로 할머니가 왔다. 이불 가지러 잠깐 집에 갔다 왔다는 것이다. 이제 곁에 있겠다는 말에 일단 한숨 돌리고 있을 때 후배가 그 할아버지 이야기를 꺼냈다. 사복을 입고 병동을 돌아다니기에 왜 사복을 입고 있냐고 후배가 물었더니 할아버지 왈.

"자네가 입으라고 하지 않았나! 이상한 사람일세!!"

나는 이 말에 바쁜 와중에도 한바탕 크게 웃음이 터졌다. 이렇게 말하면 좀 그렇지만 이게 치매 환자의 매력 아닌 매력 아닐까 싶다. 본인은 답답하겠지만 가끔은 이런 예측 할 수 없는 말들에 우리를 웃게 하니까.

이렇게 치매 환자들은 어린아이와 비슷하다. 치매 환자들의 특징마다 다르긴 하지만. 떼쓰는 어린아이, 혼내면 무서워하는 어린아이 등등. 다양한 캐릭터들이 있다. 그중 할아버지는 약간 혼내면 무서워하는 아이 같은 캐릭터였다. 이렇게 하면 안 된다고 하면, "내가 그런 거 아니에요...." 하며 바로 꼬리를 내려버린다. 마치 의료진을 무서워하는 어린아이를 보는 듯했다.

그리고 우리가 치매 환자에게 항상 묻는 말이 있는데 의식을 사정하기 위해 장소와 시간 사람을 묻는다. 어김없이 할아버지에게도 장소를 물었는데 내가 너무 다그쳐 물었는지 병원인 줄은 알겠는데 어느 병원인지는 모르겠다며 기죽은 듯이 말했다. 내가 누구냐고 묻는 말에는

"누군지는 모르겠는데 여기 직원 중의 하나인 줄은 알겠다!"

그 말에 나는 "아! 그렇지. 내가 누군지는 모르겠다. 참." 하며 수긍했다. 아주 틀린 말도 아니었기에 이걸 안다고 해야 하나 모른다고 해야 하나 헷갈릴 정도였다.

그리고 하도 움직여서 혈압이 재지지 않아 혈압이 측정 안 되니 제발 잠깐만 가만히 있어 달라 부탁하자 할아버지 왈.

"자꾸 여기가 쪼여요..."

그것 또한 맞는 말이었다. 자꾸 움직여서 혈압계가 더 높은 압력으로 다시 재고 있었으니까. 나는 그 말을 하는 할아버지를 보며 바쁜데도 피식 웃음이 나왔다. 그래도 할아버지는 귀여운 치매 할아버지에 속했으니까.

치매인데 맞는 말은 맞는 말이고, 이럴 때 보면 어린아이 같다는 생각이 많이 든다. 다음에 좀 한가한 근무에 조금 더 말을 걸어 들여야겠다.

우리 병원 간호사가 아니면 누가 치매 환자의 말을 들어주겠는가. 간호사라고 다 그런 환경도 아니고, 치매 환자와 이야기를 하다 보면 나도 모르게 어린아이의 동심으로 돌아가 호탕하게 웃을 수 있다는 게 감사하다.

가족들마저 외면해버리는 치매 환자분들. 잘 돌봐드려야지!

변화

요즘 내가 점점 변해가고 있는 걸 느낀다. 예전에는 환자보다는 철저한 나의 입장만을 생각했다. 불평, 불만 투성. 한마디로 징징이?

지금도 물론 바쁘면 짜증 나고 진상 환자를 보면 나도 모르게 욱할 때도 잦다. 하지만 불과 한 달 정도 사이에 나의 마인드가 많이 바뀐 듯하다. 그동안 의료계 쪽에 존경하는 사람들을 하나둘씩 알게 되고, 그로 인해 내가 조금씩 바뀌려고 마음먹게 되고. 그러다 보니 정말로 변화하고 있는 것 같다.

어제 맹장 수술과 담낭절제술을 같이 진행한 분이 있었다. 두 가지를 같이 했지만 둘 다 심각한 수술은 아니었다. 전에 입원했다가 퇴원한 환자이기도 하고, 캐릭터도 유달리 좋은 환자였기 때문에 별걱정 안 하고 있었다.

하지만 맹장 수술을 끝내고, 담낭절제술을 진행하던 도중 출혈이 있었다. 그리고 그 양이 제법 됐다. 그런 인수인계를 받으면서 오늘은 심란한 하루가 되겠구나. 환자는 괜찮나? 하는 생각에 머리가 아플 정도였다. 환자는 못 봤지만, 환자의 상태를 알려주는 차트에는 내 예상대로 주의를 필요로 하는 수치들이 보였다. 제법 되는 출혈량 때문인지 열이 계속 나고 있었고, 더군다나 수혈 중이라 더 세심히 관찰해야 하는 환자였다.

나는 인수인계를 받자마자 환자의 활력 징후를 측정하기 위해 달려갔다. 하지만 환자의 안색을 보자마자 나는 안도의 한숨을 쉬었다. 멀쩡했다. 나에게 멀쩡히 이야기하고, 수술부위도 깨끗했다. 더군다나 수술부위가 많이 아프지 않다는 말에 일단은 안심을 했다.

다행히 열도 서서히 떨어지는 추세였고, 수혈도 무사히 마쳤다. 소변도 잘 나오고 괜찮았다. 그래도 혹시나 모를 마음에 유달리 활력 징후를 많이 측정했다. 오히려 내가 너무 많이 재서 환자가 혹시나 귀찮아하지는 않을까? 하고 한 번 더 생각하게 되는 내가 신기했다. 예전 같았으면 한 번 더 하게 돼서 귀찮다. 이랬을 텐데 말이다.

그렇게 오후에 환자에게 다시 갔는데 환자와 환자 보호자가 되레 나를 걱정하는 게 아닌가.

"힘들지? 얼마나 고되 그래.."

고되다니. 정작 힘들고 고된 사람은 본인이면서 나에게 그런 말을 전하는 환자에게 감동해 힘이 절로 나는 기분이었다. 그리고 감사하다는 말을 전했다.

"저는 하나도 안 힘들어요!! 큰 수술 하고 나온 환자분이 더 힘들죠! 이렇게 멀쩡하게 있어 주셔서 제가 더 감사합니다. 얼마든지 저 부르셔도 돼요."

그러자 웃으시면서 "에이! 안 힘들긴.."이라고 대답하는 환자를 보자 마음 한구석이 좀 찡했다. 가식이 아니라 정말 마음에서 우러나오는 말이었다. 마치 할아버지가 손녀를 걱정해주는 마음처럼. 이런 사소한 것 하나하나가 다 감사하다. 이제 나도 제법 간호사 같은 간호사가 되어가는 걸까? 갑자기 너무 착한 간호사가 되어가는 것 아닌가?

그리고 나이트 근무를 할 때였다. 감기 기운으로 몸에 힘도 없고, 일도 많아서 반은 정신 나간 듯 일을 하고 있었다. 그런데 12시쯤 입원이 두 명이나 왔다. 더군다나 신경외과로.

한 분은 술이 아직 깨지도 않았는데, 머리가 찢어져서 입원. 한 분은 집에 계신 치매 할머니. 부인에게 맞아서 입원. 거의 동시다발적으로 입원한 탓에 내 마음은 초조하기만 했다. 아직 할 일이 많았으니까. 더군다나 신경외과 입원은 환자 상태를 제대로 알기 전까지는 뭔가 불안하다. 머리 쪽 문제니까 더 잘 봐야 하고, 특히나 야간 근무일 때는 더더욱!

다행인지 불행인지. 살짝 찢어진 정도라 더 큰 외상을 없어 보였다. 그때부터 마음이 놓였다. 그리고 그제야 환자가 보이기 시작했다. 주사를 놓고 나가려는 나에게.

"물 좀 줘요. 물."

나는 종이컵에 물을 받아주면서 왠지 오늘 종일 밥도 못 먹었을 것 같다는 생각이 문득 들었다. 보호자도 없이 입원한 경우라서 더 안쓰러웠는지도 모르겠다. 물과 함께 간호사실 냉장고에 있던 두유를 내밀었다. 할아버지는 너무 고맙다며 이제 좀 살 것 같다는 말을 하며 웃으셨다. 내가 잘했다고 자랑하는 글은 절대 아니다. 예전의 나라면 이런 생각조차 가능하지 않았기에 신기해서 적어본다. 작지만 기특한 변화에 말이다.

아무튼, 오늘의 결론! 지금처럼 환자의 입장에서 한 번만 더 생각하는 간호사가 되자!

그럼에도 불구하고

12월 마지막 날에 나이트(야간) 근무. 금요일 밤에서 토요일 새벽으로 넘어가는 날. 주말의 나이트기에 부담 없는 마음으로 출근했지만. 나의 기대는 오늘도 무너졌다. 정말 금요일은 복불복이다.

치매가 심한 할아버지 한 분이 입원하셨고, 격리해야 하는 결핵 환자도 입원했다. 두 분 다 연세가 집 나이로는 거의 90 세셨다. 그래도 결핵 환자분은 열나는 것만 빼면 정신도 또렷하셨고, 협조도 잘하는 편이라 그리 손이 가진 않았다.

하지만 그 보호자. 아들이 문제였다. 무슨 처치를 할 때마다 뒤에서 자꾸 반말을 하는 것이 아닌가.

"열은 몇 도야?"
"항생제는 낳지?"
"왼쪽 팔에다가 주사 놔!"

나는 그 말들에 대답하지 않았다. 아무 말도. 환자인 할아버지에게만 설명했다. 나를 무시하는 듯한 말투로 대하는 사람과는 상대하고 싶지

56

않았다. 물론 나는 친한 환자들과 보호자들과 가끔 반말로 대화하기도 한다. 하지만 그건 친근함의 표시고, 이건 거의 하대의 느낌이었다. 결국 계속되는 반말에 이건 아니다 싶어 한마디 했다.

"보호자 분. 반말은 하지 않으셨으면 좋겠습니다."

그래도 계속 반말을 하면 더 구체적으로 설명을 해드리려 했는데 바로 "네"로 대답이 바뀌어서 화가 나려던 마음은 이내 수그러들었다. 그리고 '내가 많이 어려 보이나 봐!'라고 생각하기로 하고 병실을 나왔다. 분명 고의는 아니었을 거다.

그리고 치매 할아버지는 한숨도 안 잤다. 다인실에 다른 환자들이 못 잘 것 같아 미리부터 집중관찰실로 빼놨던 상태라 간호사실에서 가장 가까이서 환자분을 볼 수 있었다. 덕분에 아드님도 한숨도 못 잤지만. 수액 빼려고 하고, 일어나려고 하고, 말은 도통 알아들을 수 없고.

아들이 잠깐 잠든 사이 어느새 침대를 내려와 옷을 벗고 앉아계신다. 이렇게 잠시라도 옆에서 보지 않으면 금방이라도 사고를 친다. 치매 진단은 한참 전에 받으셨지만 혼자 생활이 가능할 정도라고 했었다. 요양원에 들어간 지가 1~2주 됐는데 그전까지만 해도 혼자 사셨다고. 이게 치매 때문인지. 아니면 이번에 뇌에서 발견된 종양 때문인 건지

정확하게 알 수가 없었다. 종양의 크기가 꽤 컸기 때문에 무조건 치매 증상이라고 보기도 어려웠다. 그래서 무턱대고 수면제를 먹이고 재울 수가 없어서 보호자께는 죄송스럽지만, 그냥 두고 볼 수밖에 없었다.

덕분에 나도 밤새 할아버지에게 몇 번씩 가야 했지만 말이다. 하지만 결핵 환자 보호자와는 다르게 이 분은 내가 갈 때마다 마지막에 감사하다는 말을 항상 해주셨다. 보호자의 그런 정중한 태도 때문에 한 번이라도 할아버지를 더 봐 드리게 되고, 할아버지의 향후 치료 방향에 대해 궁금해하는 보호자에게 하나라도 더 설명하게 된 것 같다. 퇴근 전까지도 말이다. 일대일 면담 수준이랄까. 내가 그러고 싶게끔 하신 거다. 나의 사용법을 알고 계셨던 것 같다.

그리고 오늘 밤도 나를 웃게 해준 환자분들 이야기를 덧붙여야겠다. 혈관이 없으면 요즘에는 PICC(Peripherally inserted central catheter)라고 주사를 팔에다가 심어놓는다. 6개월 동안 쓸 수 있는 라인 확보 방법이다. 근데 그걸 의외로 환자분들이 손으로 잘 잡아 뺀다. 오늘도 당연히 그 라인만 믿고 아침에 병실을 들어갔는데 침대에 덩그러니 그 줄이 빠져있는 것이 아닌가. 정말 깔끔하게 잘도 빼놓으셨다. 피도 안 나게. 하지만 나는 진짜 좌절했다.

"이거 왜 뺐어요!!!"

"아파서 뺐지."

58

그리고 이걸 빼면 어떻게 하냐고 혼내는 내게

"나 머리나 좀 안 아프게 해줘."

"안 아프게 하려면 이게 필요한데 이걸 빼놨으니 이제 더 아프게 주사 찔러야겠네!"

그러자 갑자기 거의 울먹이는 목소리로 아이처럼 대답했다.

"나 주사 안 맞아... 안 해 안 해!"

그분은 머리를 좀 다치신 분이라 평소에도 이렇게 아이처럼 구셔서 익숙하다. 아픈 것도 못 참고, 무서워하고. 이럴 땐 달래야 한다.

"머리 안 아프게 하려면 이거 맞아야 하는데 그래도 안 맞을 거예요?"

그러자 멋쩍은 표정으로 팔을 쑥 내민다. 그런데 혈관이 없어서 몇 번을 찔렀다. 주사 찌를 때마다 어찌나 소리를 지르시는지.

"거봐요 이렇게 주사 빼니까 아저씨도 고생이고, 나도 고생하잖아요!! 진짜 죽겠네!"

"허허허, 그렇게 말해주니까 좀 낫네."

나는 그 말이 무슨 뜻인지 몰라 되물었다. 그러자 그분이 한 말은 본인과 같이 내가 고생한다는 말에 아픈 것도 참을 수 있다. 뭐 그런 뜻으로 한 얘기란다. 참. 이렇게 엉뚱하지만 미워할 수 없는 환자분이다.

나는 힘겹게 주사를 놓고는 이건 절대로 빼면 안 된다고 신신당부하며 말했다. 하지만 내 말을 듣고는 있는 건지. 대답은 안 하고, 자기 말만 하신다.

"근데 나 보러 언제 또 와?"
"말썽 피우면 또 보러 안 오죠!!! 나 이제 집에 가서 잘 거예요! 그니까 주사 안 빼고 잘 있으면 내가 이따 밤에 또 보러 올게요!"

그러자 고분고분 말을 듣는 아이처럼 알겠다며 고개를 끄덕이신다. 안심하고 집에 가기 마지막 단계인 인수인계를 하고 있는데 보호자가 주사가 또 빠졌다고 나오셨다. 할 수 없이 다시 가서 주사를 보면서 나랑 약속했는데 왜 또 이랬냐고 물으니 "이래야 나 보러 또 오잖아."라고 천연덕스럽게 대답하신다.

"이제는 주사 빼도 나 안 오니까 오늘은 이제 빼지 마세요! 이번엔 나랑

60

진짜 약속하는 거예요!"

그러자 또 고개를 끄덕이신다. 결과는 뭐 이따가 밤에 출근해서 들어봐야겠지만 말이다. 나는 병실을 돌아 나오면서 웃을 수밖에 없었다. 분명 나를 힘들게 하는 건 맞지만, 이상하게 마음은 따뜻해지는 것을 느꼈으니까. 이렇게 나를 필요로 해주는 사람들이 있고, 그들을 위해 일할 수 있음에 행복하다.

내 담당하는 방의 인수인계가 끝나고 같이 일했던 후배가 아직 인수인계를 못 끝내서 퀭한 눈으로 멍하니 퇴근할 준비를 하며 앉아있는데 오늘은 내 담당이 아니었던 내 열렬한 팬인 할머니 한 분이 나를 보더니 오시는 것이었다.

"선생님 오늘 언제 온 거야?"
"할머니. 내 얼굴 보면 알잖아요. 나 밤 새웠어요."
"어? 나는 못 봤는데?"
"나 오늘은 할머니 담당 아니었거든요~"
"그랬구먼. 그나저나 선생님이 나 주사 좀 놔줘~"
"나 이제 퇴근 시간인데. 오전 근무자한테 맞으면 안 돼요?"
"나는 선생님한테 맞고 싶은데... 알았어..."
그렇게 쓸쓸하게 들어가시는 뒷모습에 괜스레 미안해져서 얼른 주사 놓

걸 챙겨서 병실로 따라 들어갔다.

"할머니~ 내가 지금 제정신이 아니라서 오늘은 주사를 한 번에 못 놓을 수도 있어요. 막 여러 번 찌를지도 몰라~"

그랬더니 막 웃으시면서 "선생님이 여러 번 찌르는 건 얼마든지 좋아~" 이러신다.

이 분도 혈관이 없는 분이시다. 나도 오늘은 주사 컨디션이 썩 좋지 못해서 한 번에 놓을 수 있으려나 걱정했는데 다행히도 한 번에! 그러자 할머니가 "거봐~ 내가 한 번에 놓을 줄 알았어!! 이제 얼른 집에 가서 자~"라며 좋아하신다. 그 말에 나는 "할머니가 나 붙잡아서 여태 못 가고 있잖아요!!"라고 괜스레 어리광도 부려본다.

"내가 우리 선생님 제일 좋아하는 거 알지? 진짜 제일 좋아!"

열렬한 내 팬 할머니. 평소에도 이렇게 나를 예뻐해 주신다. 그래서 오버타임 근무를 하면서도 해드리고 싶은 마음이 든다. 집에 퇴근해서 와보니 12시간 근무를 하고 왔다. 그럼에도 불구하고 환자들과 이렇게 소소하게, 그리고 훈훈하게 보낼 수 있는 오늘 하루에 감사했다.

때아닌 귀신 이야기

제목 그대로 정말 때아닌 귀신 이야기를 해보려 한다. 사람이 죽으면 남는다는 넋 귀신. 정말 그런 게 존재할까? 사람은 죽으면 도대체 어디로 가는 걸까? 죽어보지 못한 나로서는 뭐가 진실인지 알 수는 없다. 하지만 귀신은 존재하는 것 같다. 우리 주변에서 설명할 수 없는 일들이 귀신의 존재를 증명해주듯 일어나고 있으니까. 내가 우리 병원에서 겪은 혹은 우리 병원에서 겪은 동료들의 이야기들. 물론 나도, 내 동료도 귀신을 본 적은 없다. 다만 귀신이 정말 존재하는 걸까? 하는 의구심이 들 만한 경험들이다.

일단 내가 일하는 곳은 병원이다. 삶과 죽음의 공간. 지금 병원에는 살아있는 사람들만 있지만, 이 병원이 존재한 이래로 죽은 사람의 수가 훨씬 많을 것이다. 보통 우리 병원은 상태가 조금 안 좋은 환자를 간호사실에서 가까운 병실에 배치한다. 그래서 거의 1호실이나 2호실은 중환자들이 많이 있게 된다. 그러다 보니 그 호실에서 돌아가시는 분들 또한 많다.

어느 날, 1호실에 입원해 계시던 할머니가 농담 식으로 얘기를 건넸다.

"저기 창문에 붙어있는 귀신들 보여?"

63

"에이.. 할머니! 농담도! 귀신이 어디 있어요~"

"아냐.. 진짜야. 저기 창문에 다닥다닥 붙어있어. 근데 XX대학병원은 더 많아. 거기는 너무 많아서 창문에 빈틈이 없을 정도야."

여기까지는 그냥 그러려니 하며 넘겼다. 그 뒤 이어지는 할머니의 말.

"내일이면 나 데리러 올 거야. 나 내일 가."

이번에도 그저 농담이겠거니. 그냥 하는 소리겠지 하며 넘겼다. 환자분 상태가 좋은 편은 아니었지만 그렇다고 당장 내일 돌아가실 상태도 아니었으니까.

하지만 다음날 출근해보니 정말로 할머니가 돌아가셨다. 할머니가 간다고 했던 바로 그 날 새벽에. 바로 전날까지만 해도 같이 이야기했던 그분이 밤사이에 정말 본인 말처럼 가버리신 것이다. 내가 직접 겪은 일은 아니었지만 실제로 이 일을 겪은 선배에게 전해 들으면서 나도 모르게 소름이 쫙 돋았다. '정말 귀신이 있는 거야?'라는 생각을 하면서.

그리고 이번엔 얼마 안 된 이야기다. 우리 병원에서 새로 생긴 지 얼마 안 된 병동에서 일어난 이야기이기 때문이다. 우리 병원 별관에는 2층에는 호스피스 병동이 있고, 바로 위층인 3층에는 신경과 병동이 있다. 그

별관에 병동은 그 2개밖에 없다. 이번 이야기는 3층 신경과 병동에서 일어난 일이다.

입원 기간이 길어져 장기가 되어버린 환자가 있었다. 2인실을 가끔 혼자 쓰게 되곤 했는데 그날도 2인실에 그 환자 혼자 있게 된 날이라고 했다. 그날따라 잠을 설쳤다는 환자. 장기간 입원을 해서 알지만, 그 환자는 평소에도 말이 별로 없어 간호사들한테도 거의 말을 걸지 않는다고 했다. 나이트 번 간호사가 처치를 위해 새벽에 들어가자 환자가 말을 걸더라는 것이다.

"오늘은 왜 까만 옷 입은 사람이랑 같이 들어왔어?"
"네?"
"아니 왜 옆에 까만 옷 입은 사람이랑 같이 왔냐고."

순간 소름이 끼쳐 얼른 처치만 하고 병실을 나왔다고 했다. 근데 나중에 알고 보니, 그 시간쯤 그 아래층인 호스피스 병동에서 한 분이 돌아가셨다고 했다. 아마 우리는 그 까만 옷을 입은 사람은 저승사자가 아니었을까? 하고 추측해봤다. 그러자 온몸에 소름이 또. 글을 쓰고 있는 지금도 소름이 끼친다.

그리고 내가 간접적으로 겪은 영혼에 관한 이야기. 내가 정형외과 병동에서 지금 근무하고 있는 병동으로 내려온 지 얼마 안 되었을 때의 이야기다. 외과 병동이다 보니 암 환자들도 많았고, 연세가 많다 보니 말기 암 환자분들도 많이 오셨을 때다. 지금이야 호스피스 병동으로 가지만, 그때는 호스피스 병동이 만들어지기 전이라 우리 병동이 곧 호스피스 병동 역할까지 해야 하는 상황이었다. 그분도 암 말기로 오셨던 분이었고, 상태가 점점 안 좋아져 모르핀을 주사로 맞으면서 자가 의식은 없어진 지 오래였다. 까라진 상태로 잠만 자는 상태였다. 상태가 안 좋긴 했지만 바로 그날 돌아가실만한 상태는 아니었다. 주말이어서 아들이 와서 보는 상황이었고, 나는 그날 그 환자를 담당했던 나이트 번 간호사였다.

평소와 다름없는 별문제 없는 새벽이었다. 그 환자의 상태도 여느 때와 똑같았고, 혈압 등이 흔들리는 상태도 아니었다. 항생제를 주기 위해 새벽 2시쯤 그 환자를 보러 들어가서 항생제를 주고 있는데 갑자기 자던 아들이 화들짝 놀래면서 깨는 것이다. 그래서 너무 놀라 깬 아들에게 나쁜 꿈이라도 꾸셨냐고 물었다. 아들은 내 질문에 대답은 하지 않고 대뜸 "아버지 상태는 좀 어떠세요?"라고 되물었다. 나는 아들에게 "괜찮으신데... 똑같으세요.."라며 대답했고, 그제야 아들은 조금 안도했는지 내가 물었던 처음 질문에 대답했다.

"지금 꿈을 꿨는데 아버지가 인사를 하시더라고요..너무 생생하게.."
그냥 상황이 이러니까 그런 꿈을 꾼 것 같다고 너무 걱정하지 마시라고 얘기하고 나왔다. 하지만 그날 새벽이 채 가기도 전. 아니 내가 퇴근은

하기도 전. 그 할아버지는 그렇게 몇 시간 만에 갑자기 돌아가셨다. 서서히 꺼져가는 촛불처럼 그렇게 조용하면서도 갑자기 말이다. 아들이 그 꿈 이야기만 하지 않았어도 그냥 그러려니 했을 텐데 돌아가시던 새벽에 아들 꿈에 생생히 나와 인사를 했다는 그 꿈 이야기에 퇴근하는 내내 어딘가 모르게 찜찜하고, 소름이 돋았던 기억이 내게도 있다.

그리고 우리 친할아버지가 사고가 나시던 날. 유난히도 우리 엄마의 꿈자리가 좋지 않았다고 했다. 그날 엄마 꿈에 할아버지가 온통 하얀 연꽃이 깔린 곳에 올라가 계셨다고 했다. 마치 천국을 연상시키듯 말이다. 그래서 그날은 노인정을 가던 할아버지의 뒷모습을 내내 지켜보셨다고 했다. 찜찜한 기분을 떨쳐버릴 수가 없어서. 하지만 너무 멀쩡하셨던 할아버지였기에 괜한 걱정일거라며 넘겼다.

그런데 바로 그날 할아버지는 바닥에 머리를 찧으시면서 급성 뇌출혈이 왔고, 끝내는 그 뇌출혈로 그날은 아니지만, 그 사고로 인해 며칠 뒤 돌아가셨다.

그리고 할아버지가 돌아가시던 그 날. 할아버지가 유난히 예뻐했던 토끼 한 마리도 죽었다. 내가 초등학교 5학년 때의 일이다. 그때도 지금도 여전히 할아버지가 가는 길에 데려가시지 않았나 하는 생각이 먼저 든다. 우연의 일치일 수도 있겠지만.

이렇게 우리가 예지몽이라고 부르는 꿈들, 그리고 종종 목격되는 귀신 이야기들을 듣고 경험하면서 정말 귀신은 존재하는구나 라고 믿게 된다.

보이지 않는 제3의 존재. 갑자기 궁금해지는 사후의 세계. 정말 죽으면 어디로 가는 걸까? 귀신으로 남는다면 구천을 떠돌며 이 세상에 남아있는 것인가? 죽는다는 건 도대체 무슨 의미일까? 죽음이 끝이 아니라면? 등등 의 질문들이 꼬리에 꼬리를 문다.

하지만 정답은 아무도 모른다. 심지어 죽었다가 기적적으로 살아났다는 사람들조차도 말이다. 물론 이 누구도 알 수 없는 답을 찾기 위해 시간을 허비하진 않을 거다. 지금 나에게 중요한 건 사후의 세계가 아닌 지금 내 가 살고 있는 삶이 더 중요하니까. 죽음보다는 삶이 지금 나에게 현재니 말이다.

카르페디엠. "현재를 즐겨라."라는 말처럼 혹여나 사후세계가 정말 허무 한 곳이라 할지라도 내일 멸망할 지구에 사과나무를 심듯이 단 하루라도 내 삶에 집중해 살고 싶다. 다만 내가 오늘 이 글을 쓴 이유는 내가 여태 믿지 않았던 귀신이라는 존재에 대해 나와 내 동료가 겪었던 경험을 통해 그 존재를 인정하게 되었다는 것을 글로 남기고 싶었다. 단지 그뿐이다.

이상하게 소름 끼치는 아침이다.

3 장

애(哀)

내리사랑

얼마 전. 응급실을 통해 할머니 한 분이 입원하셨다. 그저 입맛이 없고, 배가 아파서 온 것뿐인데 복부 CT상 이미 암이 온몸으로 전이되어 퍼져 있었다. 보호자 분들은 환자에게 알리지 말고, 호스피스를 하고 싶다고 했다. 그런데 호스피스라는 게 하다 보면 환자도 언젠가 알게 된다. 그래서 할머니도 언젠가, 아니 조만간 알게 되시겠지. 라며 어느 정도 예상하고 있었다. 하지만 그런 할머니를 보고 있자니 마음이 안 좋았다. 많은 연세에 비해 또랑또랑한 정신을 가지고 계시는 할머니였기에 더.

할머니는 거의 식사를 못 해서 국물만 조금 먹는 정도고 그나마 조금 더 드시면 몇 수저 뜨는 게 고작이었다. 그렇다고 수액으로 보충하자 치면 빈뇨 때문에 너무 힘들어하셨다.

이렇게 호스피스 환자를 보는 것은 아직 나에게는 힘든 일이다. 죽는 날을 받아놓고 기다리는 환자에게 내가 해줄 수 있는 것은 별로 많지 않기 때문이다. 이야기라도 조금 더 들어드리고, 손이라도 한 번 더 잡아드리고 싶은 마음은 굴뚝같은데 나머지 20명의 환자를 더 봐야 한다는 현실 때문에 그렇게 하지도 못한다. 그래서 환자를 볼 때마다 마음 한구석만 짠해진다.

오늘은 혈압을 재면서 할머니께 저녁식사량을 물어봤다. 돌아오는 대답은 간병인 여사님이 해주셨지만. 몇 수저 떴다고 했다. 그러면서 한마디 덧붙인 말이 나를 뭉클하게 만들었다. 자식들한테는 밥 잘 먹고 있다고 말해달라는 할머니의 말씀. 행여나 자식들이 본인 걱정할까 봐. 늙은이가 뭐라고 자식들에게 폐를 끼치나. 그런 마음이 고스란히 나에게 전해졌다.

할머니가 입원하신 지는 얼마 안 됐지만, 그동안 내가 봤던 할머니 자녀분들의 태도는 이해가 가지 않았다. 흉을 보겠다는 건 아닌지라 여기에 그것들을 일일이 적지는 않겠다. 물론 개인 사정이 있으니 내가 그 사정을 다 이해하지 못하는 걸 수도 있다. 나는 엄연히 환자의 입장에서만 바라보고 있는 것일 테니 말이다. 그리고 내 상황이라면 어땠을까 하고 생각해봤다.

'나라면.. 우리 엄마라면.. 나도 그럴까..?'

나의 대답은 아니다. 명백히. 내리사랑이라는 말이 있는 것처럼 어쩌면 이게 당연하다고 믿고 있는지도 모르겠다. 그래도 부모 마음처럼은 아니라도 조금이라도 자식을 생각하는 마음처럼 부모의 마음을 헤아려 줄 순 없는 걸까. 오늘도 쓸쓸히 화장실 앞에서 기운 없이 앉아 있는 할머니의 모습이 너무 안타까워 혼자 주절거려본다.

그런 할머니에게 내가 해 드릴 수 있는 건 고작 아플 때 진통제를 놔주는 것뿐. 그것뿐이라 너무 마음이 아팠다.

그래서 호스피스라는 건 아직은 나에게 감당하기 힘든 짐 같은 존재로 느껴진다. 내가 아직 그분들을 보낼 준비가 안 되어있는 것 같기도 하다. 언제쯤이면 익숙해질까? 아니 익숙해지면 좋은 걸까? 과연 정답은 있는 걸까?

또 한 번 삶과 죽음이라는 낭떠러지 위에서 외줄을 타며 이런저런 생각에 잠겨본다.

부끄러운 고백

 내가 근무하고 있는 곳은 메인으로 하는 과가 무려 8개다. 그중 안과도 포함되어 있다. 보통 안과 입원환자는 백내장 수술을 하는 분들이 대부분이다. 그분들은 당일 퇴원을 하거나, 1박 2일로 짧게 입원을 하고 간다. 원래 간단한 수술이기도 하고, 안과 외래에서 안과 의사가 안약까지 다 설명하기 때문에 따로 우리가 설명해 줄 것도 별로 없다. 우리가 신경 써야 할 것은 수술하기 전에 안약을 잘 넣는지, 약은 제때 먹었는지 확인하고, 다음 날 아침 안과 외래로 환자를 내려보내기만 하면 된다. 그리고 외래에서 돌아오면 바로 퇴원한다. 그래서 두 팔 벌려 환영하는 입원 환자 중 하나다.

 그런데 그런 손 안 가는 안과 환자를 인수인계를 받는데 보호자가 진상이라는 말을 먼저 들었다. 지금은 보호자가 없는데 오히려 있는 게 더 골치 아프다고 했다. 이래라저래라 하며 그게 당연히 너희들이 할 일 아니냐며 우리에게 하나하나 다 요구를 하는 보호자라고 했다.

 그리고 그날 밤 자신은 집에 가면서 다음 날 아침에 안과 외래에 할머니를 우리 보고 모시고 내려가라는 보호자의 신신당부가 있었다고 했다. 하지만 그 시간은 우리가 가장 바쁜 시간이다. 회진시간에 수술시간까지

73

겹치는 시간이기에 거기까지 우리가 일일이 모시고 다녀올 수는 없는 노릇이었다. 보통 안과 환자들은 알아서 혼자 외래에 다녀오는데 말이다. 난 환자를 보기도 전부터, 인수인계만 받았을 뿐인데도 머리가 아파지기 시작했다. 유별난 보호자와 안과 환자라고 생각했다. 그리고 한편으론 괘씸하기도 했다. '우리는 노는 줄 아나? 참나!'라고 생각하며.

그리고 역시나 그날도 전쟁을 방불케 하는 회진시간이 다가왔고, 그 덕분에 할머니를 안과에 보내는 것도 까맣게 잊어버리고 있었다. 그러자 안과 외래에서 전화가 왔다. 환자 좀 내려달라고. 그때야 아차 싶어 할머니에게 갔다.

"할머니! 정말 혼자 안과 못 가시겠어요..?"
"나 혼자? 나 거기 어딘지도 모르고.. 혼자 못 가.."

나는 할머니가 괜히 엄살 부리는 것으로 생각했다. 겉보기엔 너무 멀쩡해 보이셨으니까. 아마 아들이 혼자 가지 말라고 신신당부하며, 사주했을 거로 추측하면서 말이다. 그렇다고 그 바쁜 시간에 내가 자리를 비울 수도 없었다. 그렇게 고민만 하고 있다가 마침 좋은 방법이 생각났다. 바로 학생간호사와 함께 보내는 것! 다행히도 요즘 학생간호사가 실습을 나오는 기간이었기 때문에 할머니를 휠체어에 태워 학생간호사와 함께 안과 외래에 보냈다. 그렇게 내가 할 일은 끝났다고 생각했다.

그런데 점심때쯤 할머니가 나를 다시 한번 불렀다. 이유는 안약을 넣어 달라는 것이었다. 도무지 안약을 어떻게 넣는 건지 모르겠다면서. 처음엔 너무 심하다고 생각했다. 이제 하다 하다 못 해 간단한 안약 넣는 것조차 시키는구나 싶었다. 가서 보니 안과 외래에서 안약 넣는 순서가 적힌 종이 와 안약마다 숫자를 써놓아서 누가 봐도 혼자 할 수 있게끔 해놓았는데 못 하겠다니!

나는 할머니가 정말 일부로 심술을 부리는 것 아닌가 하고 생각하면서 도 한편으론 정말 모르면 어쩌나 생각도 들었다. 왜냐하면, 오늘 퇴원하시 는 분이었기 때문이었다. 퇴원해서 집에 가면 혼자 해야 하는 일인데 지금 모르면 집에 가서도 몰라서 안약을 제때 넣지 못할 것 같았다. 솔직히 내 가 안약을 넣어주는 건 시간도 얼마 안 걸리고, 간단한 일이었다. 하지만 할머니가 집에서도 혼자 할 수 있도록 봐 드리고 싶었다. 비록 시간은 오 래 걸리겠지만. 그래서 일부로 처음부터 해드리지 않았다. 야속해 보여도 어쩔 수 없었다.

"할머니! 계속 입원해 계시면 제가 그냥 안약 넣어드리고 가면 되는데 할머니는 오늘 퇴원하셔서 집에 가시잖아요. 앞으로 혼자 하셔야 하는데 모른다고 안 하시면 안 돼요. 제가 안약을 넣어드리고 싶은데, 집에 가서 못하면 안 되니까 집이라고 생각하시고, 할머니가 혼자 한 번 해보세요.

제가 옆에서 보고 틀리는 건 알려드릴 테니 걱정하지 말고 해보세요."

그런데 할머니는 본인은 솔직히 퇴원 안 하고 병원에 계속 있고 싶다고 하시며 계속 안약 넣는 걸 망설이셨다. 그러다 주변 할머니들도 그게 맞는 거라고, 얼른 혼자 해보라고 부추기자 그제야 혼자 설명서를 보면서 안약을 하나씩 나열하기 시작했다.

일단 안약을 순서대로 찾는 건 잘하셨다. 하지만 문제는 그다음이었다. 할머니는 팔이 눈까지 제대로 올라가지도 않았을뿐더러 손이 떨려서 제대로 조준이 안됐다. 안약을 눈이 아닌 곳에 한 10방울 정도를 버리고 나서야 겨우 한 방울이 운 좋게 눈으로 들어갔다.

정말로 할머니는 안약을 넣을 수가 없었다. 할머니가 가지고 있었던 파킨슨병이라는 기저질환을 내가 잊고 있었다. 파킨슨병은 간단히 말하면 팔, 다리가 떨리는 증상이 대표적이다. 특히나 손이나 손목 부위. 왜 안과 환자는 간단한 환자라고만 여겨왔을까? 안과 처치가 간단한 것뿐이지. 안과 수술을 하러 오는 환자가 다 간단한 환자는 아닌 건데 말이다.

오늘 내 담당이었던 안과 환자 할머니는 파킨슨병이라는 질병 때문에 혼자서 오래 걸을 수도 없었고, 손이 떨려서 혼자 안약을 제대로 넣을 수도 없었던 것이다. 그제야 할머니의 모든 행동이 이해가 됐다. 왜 할머니가 혼자 안과에 갈 수 없었고, 안약을 넣을 수 없었는지. 그리고 너무 죄송했고, 부끄러웠다. 할머니가 일부로 그러는 거로 생각했던 나 자신이, 아들이 진상이라는 이유 하나만으로 할머니에 대한 편견을 가졌던 나 자신이 한없이 부끄러웠다. 그런데 내가 그런 생각을 하고 있는지 모르셨던 할머니는 오히려 나에게 고맙다고 인사를 하셨다.

그리고 이어지는 할머니의 말.

"선생님 다시 보니까 엄청 반갑네! 아직도 여기 있네? 근데 우리 할아버지 얼마 전에 갔어!"
"네? 어딜 가요..? 돌아가셨다고요?"
"응... 내일이 49재야.. 전에 우리 할아버지 여기에 입원했었잖아~ 그때 우리 할아버지가 예쁜 선생님이라고 참 좋아했었는데..."

어쩐지 할머니 이름은 처음 듣는데 얼굴은 낯이 익다 싶었다. 환자 보호자로 우리 병동에서 봤었던 할머니라 그랬나 보다. 그런데 죄송스럽게도 할아버지가 도무지 생각나지 않았다. 내가 당연히 알 거로 생각하며 너무나 반갑게 말씀하시는데 차마 모른다고 말할 수가 없었다. 할머니가 나를 먼저 알아보기 전에 내가 먼저 알아봐 드렸어야 하는 건데. 그러지 못해 또 한 번 죄송스러웠다.

그리고 저 말을 듣고 나서야 더 할머니의 마음이 이해가 됐다. 집에 혼자 있어야 해서 퇴원하기 싫다던 할머니의 말. 할아버지를 떠나보내고 혼자 남겨진 할머니의 외로움, 그리고 자신도 누군가에게 의지하고 싶었을 할머니의 마음이 고스란히 내게 전해져 왔다.

왜 몰랐을까? 아니 왜 괜한 편견으로 할머니의 마음을 오해했을까. 왜 할머니를 있는 그대로 봐 드리지 못했을까. 왜 그 외로움과 슬픔을 알아주지 못했을까. 지금 내가 느끼는 부끄러움을 절대 잊지 말자.

그리고 앞으로는 다른 어떤 편견도 아닌 있는 그대로, 환자의 입장에서 생각하는 간호사가 되자며 다시 한번 마음을 다잡았다.
한없이 부끄러웠던 날. 제목처럼 어느 간호사의 부끄러운 고백.

죄송합니다. 그리고 감사합니다.

나 좀 살려줘요

오늘 내 담당 환자 중에 퇴원해서 바로 서울대병원으로 가시는 분이 있었다. 며칠 전 입원하신 그분은 서울대병원에서 항암 치료를 받으시는 분이었고, 다음 치료 전까지 통증 때문에 집에 있기가 힘들어 우리 병원에 통증 조절을 하러 오신 분이었다.

그런데 그분은 내가 본 다른 암 환자분보다도 유독 더 아파하셨다. 아무리 센 마약 진통제를 놔드려도 2시간도 채 못 가서 효과가 없는 것 같다며 또 놔달라고 하셨다.

그렇게 아파하는 할머니에게 진통제를 놔드리는 것 말고는 할 수 있는 게 없으면서도 그 진통제마저도 마음껏 놔드리지 못했다. 아파서 진통제를 놔달라던 할머니에게 그 마약성 진통제는 하루에 횟수도 제한되어 있고, 일정 시간이 지나야 놔드릴 수 있다며 조금만 더 기다려달라는 말만 할 뿐이었다.

그런데 그렇게 야속한 우리를 이해해주고 기다려준 건 다름 아닌 환자였다. 그 마음에 그저 감사하면서도 죄송할 따름이었다. 입원하면 괜찮아질 거라 믿었던 할머니와 가족들의 믿음과는 다르게 날이 갈수록 할머니의 상태는 점점 악화될 뿐 나아질 기미를 보이지 않았다. 그런 할머니를 보다 못한 보호자들이 조금 일찍 서울대병원을 가보겠다는 결정을 내렸다. 더는 해줄 수 있는 게 없었던 우리로서는 반가운 결정이었다.

그리고 그날이 왔다. 서울대병원을 가기로 한 그 날.

그런데 어쩐 일인지 오늘따라 병실에 누워 창밖을 조용히 바라보고 계시는 할머니의 표정이 편안해 보였다. 그리고 할머니의 상태를 확인하는 나에게 어젯밤엔 처음으로 진통제도 안 맞고, 잘 잤다며 미소까지 지어 보이셨다. 그런 할머니와 이런 저런 얘기를 하면서 퇴원 준비를 하기 위해 맞고 있던 수액을 정리하고 있던 찰나. 할머니가 자신의 몸을 더듬고 있던 내 손을 덥석 잡았다.

"아가씨.. 나 좀 살려줘요.."

나는 급하게 하던 것을 멈추고 할머니의 얼굴을 올려다보았다. 할머니는 삶에 대한 간절함과 포기. 그 둘 사이를 외줄 타기를 하는 것처럼 아슬아슬하게 건너는 듯한 표정을 짓고 계셨다. 그 외줄 한가운데에서 어느 쪽으로도 가지 못하고 망설이는 사람처럼. 나는 할머니의 손을 더 세게 꽉 잡으며 말했다.
"당연하죠. 할머니! 제가 꼭 살려드릴게요. 걱정하지 마세요."

"아이고 고마워라. 근데 나 여기 또 와도 되나?"

"그럼요. 얼마든지 오셔도 되죠! 우리 할머니 가서 치료받을 생각 하니까 걱정되시는구나? 가서 며칠만 꾹 참고 잘 버티고 오시면 그 담에는 제가 꼭 살려드릴게요. 그니까 잘 참고, 잘 버티고 오실 수 있죠?"

그 말에 할머니는 고개를 끄덕이면서도 조금 전에 자신이 했던 말과는 정반대의 말을 하셨다.

"아휴. 늙은이가 괜히 젊은 사람들 고생만 시키고. 내가 맨날 아프다고 주사 놔달라고 괴롭혀서 미안해. 나 때문에 고생이 많지? 우리 자식들도 고생이고. 늙은 내가 얼른 죽어야 할 텐데."

나는 그 말을 하는 할머니를 살짝 때리며 대답했다.

"고생은요! 여기 병원이잖아요. 할머니. 그런 일 하는 곳이 바로 병원이에요! 그런 거 하나도 안 미안해하셔도 돼요. 그리고 이건 우리야 당연히 하는 일이고, 아픈 건 할머닌데 할머니가 우리보다 훨씬 고생하시면서 뭘. 그러니까 그런 생각하지 마세요. 그리고 좀 전까지만 해도 저보고 살려달라고 하시던 분이 죽긴 왜 죽어요! 내가 어떻게든 살려 드릴 테니까 가족들 봐서라도 절대 그런 소리 하지 마세요. 알겠죠?"

그 말에 할머니는 연신 알겠다며 고맙다고 하셨다. 나는 그런 할머니에게 그저 잘 다녀오시라며 손을 꼭 잡아드리는 것 말고는 해줄 수 있는 게 없었다. 그리고 그 순간만큼은 나는 의료진의 마음이 아닌 보호자의 마음으로 빌고 있었다. 우리나라 최고의 병원인 서울대병원에서 할머니를 잘 봐주기를. 그곳에서는 할머니의 상태가 호전되기를 말이다.

나는 보호자와 함께 엘리베이터로 향하는 할머니의 마지막 뒷모습을 보며, 다음에는 삶에 대한 포기가 아닌 간절함으로 돌아선 모습으로 다시 와주길 바랐다. 내가 할머니에게 조금 더 해드릴 수 있는 게 많아질 수 있도록.

어느 날 갑자기 암 선고를 받는다면

암 선고를 받는다는 건 대체 어떤 기분일까?

내가 학교에서 배운 대로라면 분명 놀라거나, 좌절하거나, 울거나, 분노하거나 중 하나여야만 한다. 그리고 나의 경험상 거의 모든 사람이 그 범주 안에서 벗어나지 않았었다. 하지만 이번엔 나의 예상과 너무 빗나가는 상황이라 이해가 되지 않았다. 그래서 아무것도 모르는 친구에게 대뜸 물었다.

"너는 갑자기 암 선고를 받으면 어떨 것 같아?"

"음. 믿을 수 없겠지. 부정의 반응이 나올 것 같은데?"

"그렇지? 그럼 만약에 네가 이제 암에 걸려도 전혀 이상하지 않은 나이에 선고를 받았으면 받아들일 수 있었을까? 이제 걸릴 때도 됐지 뭐 이렇게 생각하면서?"

"에이.. 그래도 받아들이기 힘들 것 같은데?"

"그렇지? 그럼 네가 이제 더는 살고 싶지가 않아. 마침 막 죽고 싶은 찰나였는데 암에 걸렸대! 그럼 잘 됐다며 받아들일 수 있을까?"

"아무리 그래도 암으로 죽고 싶지는 않을 것 같은데? 그건 자의가 아닌 타의적인 성격이 강하니까. 근데 갑자기 그런 건 왜 묻는 거야?"

다짜고짜 이어지는 나의 질문 세례에 이해가 안 된다며 나를 쳐다보는 친구에게 오늘 일을 이야기했다.

입원한 지 2일밖에 안 되는 환자. 나이는 만 나이로 84세니 거의 86세쯤 되신 분이다. 머리가 백발인 것을 제외하고는 나이에 비해 정정하신 할아버지였다. 그분의 주증상은 어지러움이었다. 어지러워서 자주 넘어지게 되자 병원에 입원하신 것이다. 증상이 시작된 건 두 달 전 부인이 사망한 뒤부터였다고 했다.

물론 여러 가지 원인이 있을 수 있겠지만, 머리 검사에는 별문제가 없었으므로 충격으로 인한 정신적인 문제이겠거니 생각했다. 그리고 며칠 수액을 맞으며 안정을 취하다 보면 곧 괜찮아질 것이라며 별로 손이 안 가는 환자가 될 거로 생각했다. 그래도 워낙 고령에다 어지러워서 집에서도 자주 넘어졌다 하니 낙상의 위험은 매우 높았다. 담당하는 환자가 많다 보니 옆에서 일일이 부축할 수가 없다. 그래서 이런 분들은 낙상의 위험 때문에 보호자가 꼭 있어야 하는 환자가 된다.

입원할 때 보호자가 없이 입원하셔서 보호자가 꼭 있어야 한다고 설명하니 그제야 할아버지는 저녁에 아들이 오기로 했다고 했다. 그래서 저녁 때까지 기다리고 기다렸는데 아들은 보이지 않았다. 그래서 할아버지한테 가서 왜 안 오는 거냐고 물어보니 본인이 오지 말라고 했다고 한다. 그러면 안 된다면서 내가 직접 아들에게 전화해서 오라고 하겠다고 말하자 손사래를 치며 나에게 사정을 하신다.

"아이고. 아들도 일해야지. 바쁜 앤데.. 내가 민폐 절대 안 끼칠 테니 제발 아들은 부르지 말아줘. 나 혼자 다 잘할 수 있어! 어지러운 것도 병원 와서 많이 괜찮아졌고, 절대 안 넘어질 자신 있어."

그렇게 말하는 할아버지를 보면서 마치 경찰서에 잡혀 와 부모님께 오라고 연락하겠다는 경찰의 말에 겁먹고 제발 그것만은 하지 말아 달라고 부탁하는 아이를 보는 것 같았다. 그리고 한편으론 부모의 내리사랑이 이런 건가 싶어 거기서 더 할아버지를 궁지로 내몰 수가 없었다. 할 수 없이 내가 포기하기로 마음먹고, 대신 할아버지에게 신신당부하며 말했다.

"어지러우면 절대 혼자 일어나지 마시고, 저기 보이는 빨간 버튼 누르고 저 부르세요. 그럼 제가 올게요. 진짜 넘어지면 큰일 나니까 저 꼭 부르셔야 돼요. 아셨죠? 꼭!!"

그렇게 반협박 식으로 강조하며 말하자 할아버지는 알았다고 몇 번을 대답하시며 나보고 얼른 가보란다. 그런데 정말 한 번을 나오지도, 그렇다고 나를 부르지도 않았다. 그렇게 할아버지가 말한 대로 정말 없는 듯한 환자처럼 누워계셨다. 오히려 너무 조용해 내가 더 안달이나 가서 보게 된 환자분이었다.

심지어는 주사가 새서 팔이 부었는데도 말도 안 하시고 계신 것이 아닌 가? 아프지 않냐고 물어보니 그제야 "조금 아프긴 해"라며 대답하신다. 그 대답에 나는 "이런 건 말씀하셔야죠! 이걸 왜 참고 계세요."라고 꾸중 아닌 꾸중을 하면서도 조금 전 절대 민폐 끼치지 않겠다 했던 할아버지의 말이 떠오르면서 마음 한편이 짠해졌다. 병원에 왔다고 생각긴 하는 건가 싶 었다. 여길 혹시 감옥이라고 생각하고 계신 건 아닌가 해서 말이다.

그런데 그렇게 착하고 착한 할아버지의 흉부 x-ray에서 이상한 것이 발 견되었다. 판독 결과가 폐암 의증으로 나온 것이다. 의증이긴 했지만 크기 가 꽤 컸다. 어떤 증상이 있어서 찍은 게 아니라 그냥 입원할 때 기본적 으로 하는 검사에서 나온 것이었다. 주치의도 그걸 봤는지 바로 더 자세하 게 볼 수 있는 CT 처방을 냈다. 그리곤 보호자에게 설명하고 검사 동의서 를 받으려고 했으나 할아버지가 그것마저 극구 거부하며 본인이 다 동의 할 테니 검사 진행하라고만 하셨다.

물론 암 의증이니 검사를 하겠다고 설명하진 않았다. 그저 조금 더 자세 한 검사가 필요해 검사를 진행할 것이라고만 설명했다. 그런데 지금 와서 생각해보니 이때부터 할아버지가 눈치를 채고 있었던 게 아닌가 싶기도 하다.

그렇게 검사는 진행되었고, CT상 결과는 의증이 아닌 확진 판정으로 나왔다. 이제는 보호자를 안 부르려야 안부를 수 없는 상황까지 오게 되어 우리가 어쩔 수 없이 아들에게 전화를 걸었다. 병원에 오늘 중으로 오셔서 검사 설명을 들으셔야 할 것 같다고 말이다. 그리고 드디어 아들이 병원에 왔다. 하지만 병원에 온 아들의 표정은 심각해 보이지 않았다. 아마 이 정도라고 예상을 못 한 것 같다. 오자마자 어디로 가면 되냐고, 설명 들으러 아버지를 모시고 가도 되는 거냐고 물었다.

　　나는 잠시 머뭇거리다가 일단은 혼자 듣는 게 좋을 것 같다고 말했다. 그러자 검사 결과가 많이 안 좋은 거냐고 다시 내게 묻는다. 그 질문에 나는 곤란하다는 듯 약간 뜸을 들이다가 결국 그렇다고 대답했다. 그렇게 보호자 혼자 외래로 내려가 주치의와 면담을 했다. 그리고 면담 후 나는 외래에서 전화 한 통을 받았다.

　　"보호자가 적극적인 치료를 하시길 원한대요. 위탁 준비 진행해주세요."

　　내가 예상했던 면담 결과가 아니었다. 내가 예상했던 시나리오는 연세도 있고 하니, 할아버지 본인한테는 비밀로 하고 그냥 모르는 채로 아무것도 안 하고 지켜보겠다는 보호자의 대답을 예상했다. 하지만 내 예상과는 다른 보호자의 대답을 들으며 문득 우리 할아버지와 아빠가 생각났다.

87

할아버지가 돌아가시기 전 심한 뇌출혈로 의식이 없이 응급실에 갔었는데 그때 할아버지의 나이는 80세였다. 할아버지를 담당했던 의사는 아빠에게 이제 살 만큼 사셨고, 수술한다 해도 가망이 없다고 말했다. 그런데도, 아빠는 수술해달라고 했다. 이대로 아무것도 안 한 채로 할아버지를 보낼 수 없었던 마음 때문이었다. 아들 된 도리로서 뭐라도 하지 않으면 견딜 수 없었던 그 당시 아빠의 마음이 떠올랐다. 아마 그 할아버지의 아들도 그와 같은 마음이었을 거다. 거기까진 충분히 이해할 수 있었다. 나라도 그랬을 테니까.

그런데 주치의와 면담을 끝내고 올라와 면담 내용을 묻는 나에게 조금 있다 주치의가 와서 할아버지에게 암을 설명하겠다고 하는 것이 아닌가. 처음엔 내 귀를 의심했다. 내가 잘 못 들은 줄 알았다. 당연히 환자에게는 이 사실을 숨겨달라고 신신당부할 줄 알았다. 거의 모든 보호자가 그렇게 하니 말이다.

그런데 자신이 얘기할 수는 없으니 본인이 주치의에게 그렇게 해달라고 부탁을 하고 왔다고 했다. 암 선고를 받게 될 환자가 걱정스러웠지만, 보호자의 뜻이 그러하니 어쩌겠는가. 그렇게 나는 할아버지가 받을 충격을 생각하며 그 시간이 더 느리게 왔으면 좋겠다고 생각했다. 하지만 시간은 야속하게 가고, 의사가 올라왔다. 그리고 덤덤하게 아들은 할아버지를 모시고 컴퓨터 화면이 있는 의자에 나란히 앉았다. 그러자 의사의 말이 차분하게 이어졌다.

"제가 할아버지 검사 결과를 설명해 드리려고 왔어요."
"설명 안 해주셔도 돼요. 제가 설명한다고 아나요. 안 들어도 돼요."
"아니에요. 어르신이 봐도 알 수 있어서 보여드리려고 하는 거예요."

그러면서 2년 전 찍은 사진과 비교해서 보여줬다. 2년 전과 비교해서 확연히 뭔가가 보이는 흉부 x-ray 사진. 그리고 CT상에 더 확연하게 보이는 둥근 물체가 있었다. 그리고 주치의는 그것을 가리켰다. 암을 선고하기 바로 직전의 순간이었다. 나는 뒤에서 이 모든 상황을 초조하게 지켜보면서 이럴 땐 의사가 아닌 게 참 다행이라는 생각마저 들었다. 누군가에게 사형선고를 내리는 기분을 느껴야 하는 의사. 그 마음이 결코 편할 리가 없을 테니 말이다. 그렇게 주치의는 영상 속 둥근 물체를 가리키며 조심스럽게 말했다.

"이런 경우에 보통 암인 경우가 많아요. 아드님은 적극적으로 치료를 원하고 계시고요. 그래서 조금 더 큰 병원에 가서 검사를 해보시는 게 어떤가 해서요. 어르신 생각은 어떠세요?"

"저는 그저 선생님이 시키는 대로 하겠습니다. 선생님이 큰 병원 가보라면 당연히 가봐야죠. 그동안 선생님이 절 얼마나 잘 봐주셨는데."

그 대답은 암 선고를 이제 막 받은 사람의 대답이 아니었다. 모든 것이 내 예상을 보란 듯이 비웃으며 빗나가고 있었다. 그 대답에는 아무런 감정의 변화도 느껴지지 않았다. 마치 이제 병이 다 좋아졌으니 퇴원해도 좋다는 말을 들은 사람처럼 병실로 들어가셨다. 끝까지 본인은 없었다. 본인의 의견도 없었다. 그저 아들에게, 그리고 자신을 돌봐 준 주치의에게 민폐 끼치지 말아야겠다는 생각이 더 우선인 것만 같았다. 본인이 암에 걸렸다는데 말이다. 너무 안타까운 마음에 나조차도 할아버지가 적극적인 치료를 받았으면 좋겠다는 생각이 들었다. 그래서 외래가 문 닫기 전에 뭐든 얼른 처리해드리고 싶었다. 조금 더 큰 병원으로 빨리 가실 수 있도록.

원래 그 시간이면 보조 인력도 없는 시간이라 내일 아침으로 미뤄도 아무도 뭐라 할 사람은 없었지만 내 마음이 그렇게 하고 싶지 않다고 외치고 있었다. 뭐든 해드리고 싶었다. 내가 할 수 있는 게 있다면 그게 뭐든 말이다. 그래서 주치의가 내려가자마자 얼른 환자 신분증을 걷어 CD를 복사하고, 위탁 담당자에게 빨리 처리해달라고 부탁했다. 그리고 CD랑 서류를 할아버지가 직접 원무과에 가서 받아오겠다며 내려가시는 걸 겨우 붙잡아 병실로 가시게 하곤, 내가 직접 내려가 CD와 서류를 받아다 드렸다. 그런 내게 고맙다며 인사를 하시는 할아버지를 보며 내가 해드릴 수 있는 게 고작 그것뿐이라 오히려 죄송할 따름이었다.

전해드리면서 할아버지를 봤는데 한쪽 눈가에 눈물이 살짝 맺혀있었다. 정말 자세히 보지 않으면 모르고 지나칠 정도로. 아까까지만 해도 전혀 아무렇지 않은 할아버지가 신기하면서도 충격을 많이 받지 않으셔서 참 다행이라고 생각하고 있었는데 아무런 내색하지 않고 혼자 그 아픔을 삼키고 있는 모습에 더 마음이 아팠다.

모든 짐을 혼자 떠안고 있는 그 모습이 너무 안쓰럽게만 보였다. 차라리 소리 내서 울거나, 화라도 내면 내가 위로의 말 한마디라도 건넬 수 있었을 텐데 하는 아쉬움마저 들었다. 그리고 이렇게 착한 할아버지한테 암을 준 하늘이 원망스러웠다. 하지만 그 상황에서 내가 할 수 있었던 건 그저 그 스치는 눈물을 애써 모른척하며 넘어가 주는 것밖에는 없었다.

아마 내일이면 아마 할아버지를 볼 수 없을 거다. 보통 환자가 병원을 나가는 순간 다시 보게 되길 기대하지 않으니까. 하지만 할아버지는 영영 다시 볼 수 없을까 봐 두렵다. 꼭 다시 돌아와 우리 병원 검사가 틀렸다고, 그거 암 아니라고, 나 건강하게 다시 돌아왔다는 그 한마디를 간절하게 듣고 싶다.

이빨 빠진 호랑이의 쓸쓸한 죽음

오늘은 얼마 전 돌아가신 분에 대해 써보려고 한다. 나에게는 이 분의 죽음이 꽤 충격으로 다가왔다. 그래서 처음에는 이 이야기를 도대체 어떻게 풀어야 할지 막막하기만 해서 선뜻 쓰지 못하다가 오늘에서야 글로 써본다.

일단 이 분을 소개하기 앞서 우리 병원의 특징을 잠깐 언급하고자 한다. 나는 우리 병원에 입사 한 이후로 장애를 가진 분들에 대한 선입견이 사라졌다. 아니 오히려 장애를 많이 가진 분일수록 겁부터 난다. 장애가 심할수록 우리 병원에서는 더 높은 급수를 가진 유공자분이기에 더 떵떵거리며 큰소리칠 수 있는 유일한 공간이기 때문이다. 처음에는 이상한 나라에 온 앨리스가 된 기분이었다. 장애가 없는 사람이 장애를 더 가진 사람에게 쩔쩔매고, 더 많은 장애를 가진 것을 부러워하는 곳이니까 말이다.

내가 오늘 소개할 분도 다리 양쪽이 없는 분이다. 그러기에 유공자 급수가 최고 급수인 1급이었다. 1급을 받은 덕분에 진상이 된 건지는 모르겠지만, 전설로 전해 내려올 정도로 진상 중에 진상이었다. 그리고 빨간 모자에 전동 휠체어가 그분의 마스코트라고 봐도 무방할 정도로 우리 병원에서 그분을 모르는 사람은 아무도 없었다. 양다리가 없어 환상통(신체 일부분이 없는 상태에서 마치 있는 것처럼 느끼며 그 부위에 통증을 호소하는 경우) 때문에 하루에 데메롤(마약의 한 종류로 일반인이 18개를 맞으면 아마 쇼크가 올 수도 있을 정도의 용량으로 엄청 센 용량이다)을 18개를 맞는 분이라 입원을 안 해도 항상 응급실에 주사를 맞으러 오기 때문에 모를 사람이 없었다. 심지어 내가 신규 간호사 시절에도 조심해야 할 분들이라며 선배들이 알려준 환자 리스트 중의 한 명으로 포함될 정도로 유명했기에 나도 그분의 이름을 알고 있었다.

4년 전 그분이 우리 병동에 자주 입·퇴원을 반복하면서 안면을 익히게 되었다. 소문으로 들었을 때와는 달리 말이 아주 안 통하는 진상과는 아니었다. 안면을 익히고 정이 들면 인정도 제법 많은 분이긴 했지만 폭발하면 장난 아니게 무서운 사람으로 돌변하곤 했다.

그분과 관련된 일화를 나열하자면 원무과를 폭발시켜 버리겠다면서 부탄가스 들고 내려가던 장면, 특실 텔레비전을 망가뜨린 사건, 그리고 우리 인수인계 시간에 본인 불만 사항이 풀리지 않아 나와서는 우리 옆에 선풍기를 던져서 부신 사건 등등 그 분하면 내가 겪은 것만으로도 떠오르는 사건이 많다.

그렇게 무서웠던 그분이 몇 달 전 엉덩이에 커다란 욕창이 생긴 채 입원했었다. 워낙 고집이 센 분이라 관리 방법을 아무리 얘기해도 말을 듣지 않고 결국에는 자의 퇴원을 하더니, 이번에 욕창이 더 커진 채로 입원했다. 그런데 이번에는 상태가 예전만 못했다. 몇 달 전에는 피 검사 수치는 괜찮았었는데 이번에는 피 검사 수치가 아주 엉망이었다. 긴급 투석이 필요한 상태까지 된 것이다. 우리 병원은 투석 장치가 없어 투석이 필요하면 다른 병원으로 전원을 보내야 한다.

그래서 바로 그날 보호자 동의하에 근처 큰 대학병원 응급실로 전원을 보냈는데 다음날도 아니고 갔다가 바로 몇 시간 만에 우리 병원으로 돌아왔다. 응급실에 가자마자 소리소리 지르며 난리를 쳤다고 했다. 죽어도 우리 병원에서 죽을 테니 제발 보내달라고 말이다. 할 수 없이 아무런 처치도 못 한 채 그대로 돌아왔다. 보호자도 어쩔 수 없다는 듯이 DNR(심폐소생술 거부 동의서)에 사인을 하고 그냥 우리 병원에 있겠다고 했다.

그때부터는 그저 증상만 처치하는 소극적인 처치들만이 이루어질 뿐이었다. 피 검사 수치는 점점 안 좋아지고 있었고, 욕창 소독이랑 불편한 것만 그때그때 약물로 처치해주는 정도였다. 그래도 습관처럼 정신만 들면 마약을 찾았다. 꾸역꾸역 본인의 하루 용량인 데메롤 18개를 다 맞았다.

그전에는 매일 같이 휠체어를 타고 돌아다녀서 온종일 병실에서 볼 수 없었는데 이번에는 휠체어도 타고 나갈 정도도 못 되는 컨디션이었다. 그래도 정신만은 또렷했다. 그래서 쉽게 가실 거라곤 생각지도 않았다.

어느 날 내가 야간 근무를 하는 날이었다. 내가 그분을 담당하는 날이어서 인수인계를 받았다. 안 그래도 그날부터 헛소리가 심해졌다고 들었는데 아니나 다를까 내가 새벽 2시에 들어가자 "어~ 왔어?"라고 하시기에 나를 알아보는 줄 알고 반가운 마음에 대답했는데 "학교는 어떻게 하고 온 거야?"라며 전혀 다른 소리를 하고 있었다. 시간, 장소, 사람에 대한 지남력이 하나도 없는 상태였다.

그러다 혼자 허공을 보며 누군가와 얘기하고 실실 웃더니, 갑자기 혼자 불안해져서는 "지금 당장 1층에 내려가 봐!! 얼른!! 어떤 놈들이 쫓아오고 있어!!"라며 소리를 질렀다. 내가 아니라고 타이를수록 더 얼른 가라고 소리치며 난동을 부릴 뿐이었다. 그곳에 더 있다가는 주렁주렁 달린 기계 장치들이 빠질 위험이 있어 알겠다고 하며 나올 수밖에 없었다.

그렇게 약 기운에 취해 잠들었다가 깨서 헛소리하고를 반복했다. 그런 그의 상태가 영 찜찜해 나는 그날 밤 30분에서 1시간 간격으로 그 방에 들어가서 상태를 확인했다. 그리고 내가 야간 근무를 하던 그 시간부터 소변량이 급격하게 줄었기 때문에 더 자주 가 볼 수밖에 없었다. 내가 의사처럼 시한부 판정을 몇 개월 남았습니다. 라고 내릴 수는 없지만, 소변량이 줄기 시작하면 죽음이 얼마 안 남았다는 건 예감할 수 있다. 이뇨제를 지속적으로 쓰고 있는데도 불구하고 임종 직전 징후의 첫 번째로 소변량이 줄어들기 때문이다.

여기서 소변량이 줄어든다는 것은 하루 소변량이 보통 2,000cc라고 한다면 갑자기 하루에 300cc, 100cc 이하로 줄어들 때를 말하는 것이다. 그런 징후가 나타나면 보통 1~2일 이내에 돌아가신다. 그날이 바로 그런 날이었다. 전날은 2,000cc 가량 소변이 나오다가 그날부터 300cc로 확 줄어버린 것이다. 그리고 정신도 점점 흐려지고 있었고, 열도 해열제를 써도 떨어지지 않았다.

보호자도 전날까지만 해도 침상 폴대를 집어 들고 "이제 그만 곱게 좀 죽어 인간아!"라며 때리려고 하더니 막상 상태가 안 좋아지자 안쓰럽다며 눈물을 몰래 훔치며 밤새 몸을 닦아주고 계셨다. 나도 그 모습을 보고 있자니 지난날 그분의 모습이 영상처럼 뇌리에 스치면서 한없이 안쓰러웠다. 그래서 그 새벽에 그저 멍하니 그분을 한동안 바라보고 있었다. 그렇게 무섭던 호랑이 같은 분이 이제는 이빨 빠진 호랑이처럼 아무도 알아보지 못하고, 혼자 아무것도 하지 못한 채 그저 눈만 깜빡이며 허공에 손짓을 하는 모습을 보고 있자니 마음 한구석이 아려왔다. 제발 한 번만이라도 예전처럼 쩌렁쩌렁하게 소리라도 쳤으면, 아니 이 병원 당장 폭발시켜버리겠다며 휠체어에 타봤으면 좋겠다는 생각뿐이었다. 그렇게 야속하기만 했던 밤이 지나갔다.

그리고 그다음 날 내 예상대로 환자 상태를 보고받은 담당 의사도 이제 얼마 안 남은 것 같다고 마음의 준비를 하라고 보호자에게 말했다. 그날부터는 병실이 아닌 처치실로 빠져 간호사실 바로 옆으로 오게 됐다. 그때부터는 기계음이 조금만 울려도 간호사가 달려가야 하는 상황이 된 것이다. 임종의 순간만을 기다리는 바로 그 시간이 그에게 마지막 준비를 알리는 신호탄처럼 다가왔다.

우리는 그래도 일말의 희망만은 놓고 싶지 않았다. 그분이 그토록 좋아하던 마약은 정신이 흐려지는 상황에서도 맞았기 때문이었다. 18개를 다 맞지는 않았지만 자다가 잠깐 깨서 했던 그분의 유일한 말은 "나 몇 개 놔줘!"였다. 그 말을 들으면 우리도 내심 안도했다. 아직은 안 갈 것 같다며, 조금 더 버티실 수 있을 것 같다고, 저러다가 다시 예전처럼 일어나서 소리칠지도 모른다며 나조차도 말도 안 되는 헛된 희망을 품고 있었다.

그렇게 3일이라는 시간이 더 흘렀다. 그리고 우리가 품은 희망이 헛된 희망이라는 걸 알려주기라도 하듯 야속하게도 이제는 그의 목소리조차 들을 수가 없게 되어 버렸고, 점점 죽음의 징후들이 그를 덮쳐오고 있었다.

갑자기 그의 몸에 주렁주렁 달려있던 기계들은 일제히 시끄럽게 울어대기 시작했다. 그의 저승선 탑승을 알리는 종소리처럼. 그 소리와 함께 점점 혈압이 측정되지 않을 정도로 떨어지기 시작했고, 산소포화도도 급격히 떨어졌다. 그리고 버거울 정도로 빨리 뛰던 그의 심장은 결국 뛰는 것을 포기해버렸다. 그러자 시끄럽게 울던 기계는 일자를 그리며 그가 떠난 것을 조용히 알렸다.

그렇게 순식간에 그의 마지막 순간이 지나가 버렸다. 뭐가 그리도 급했을까? 남들보다 더 빠른 속도로 가버린 것만 같았다. 마지막 인사말도 남기지 못한 채 말이다. 얼마 남지 않았다는 것을 알고는 있었지만, 지금은 아니라며 아직은 너무 이르지 않냐며 그의 싸늘한 시신을 보고도 인정하고 싶지 않았다.

그러는 사이 일사천리로 사망선고가 이루어지고, 장례식장 차가 와서 그를 데려가기까지 아무런 말도 쉽게 나오지 않았다. 그의 지난 과거를 다시 한번 생각하는 것 말고는 할 수 있는 것이 없었다. 그의 전성기 시절을 말이다. 그 시절에 "내가 예전에 엄청 부자였어! 호텔도 몇 채 가지고 있었고, 지금도 쓸 만큼은 충분히 있어! 내 딸은 그 돈으로 여행만 다니잖아!"라며 허세를 부리던 그는 이제 없다.

그리고 그 돈을 보고 그의 수발을 다 들던 환자 몇 분이 있었는데 흔히 다른 환자들은 그걸 보고 그분의 똘마니들이라고 부를 정도였다. 하지만 생각해보니 이번에 상태가 많이 안 좋아져서 입원했을 때 그분들의 모습은 볼 수 없었다. 입원할 때마다 붙어 다니던 분들이었는데 막상 사람도 못 알아보는 상태가 되자 문병조차 오지 않았다.

그리고 간병인조차도 그분은 수발 못 하겠다면서 도망가는 판국에 끝까지 그의 곁에 남았던 건 부인밖에 없었다. 그 모습을 안쓰러워해 주고, 임종을 지키며 울어준 이도 부인이었다. 화려했던 그의 쓸쓸한 마지막 모습.

우리 중 그 누구도 그의 마지막 모습이 그렇게 허망하고, 쓸쓸할 거라곤 예상치 못했다. 마지막 그의 모습을 보며 사람이 죽을 때에야말로 자신이 살아온 날들에 대한 진정한 평가를 받게 되는 건 아닐까 하는 생각을 해 본다.

4 장

락(樂)

원래 그래요

수술하면 그럴 수 있다는 말.

"원래 그래요!"

우리는 수술 받는 환자들을 많이 본다. 그러니 경험적으로 수술하면 어떤 부작용이 있을 수 있는지 아주 자연적으로 알 수 있다. 하지만 환자들은? 우리에겐 익숙한 상황이지만 환자들에게는 처음인 상황.

당연히 당황스러운 게 맞을 것이다. 수술실 상황들을 자세히 설명하지도 않고, 수술 후에 올 수 있는 자잘한 부작용들은 굳이 설명하지 않는다. 그리고 우리는 업무적으로 너무 바빠서 그것을 일일이 설명해 줄 시간도 없다. 그래서 그런 상황이 오면, 너무나 당연하다는 듯이 원래 그렇다는 말로 넘어가곤 하는 것이다.

그러던 어느 날, 간호사실에 앉아 열심히 간호기록을 남기고 있던 나에게 어떤 분이 지나가시다가 한마디를 건넸다.

"간호사 양반. 내가 안 그래도 내일 의사 오면 얘기는 할 건데 말이야..

내가 오늘 코 수술을 했거든? 근데 수술 전에는 안 그랬는데.. 수술하고부터 소변보는 게 영 시원치 않아.."

"음.. 많이 불편하세요? 원래 전신마취로 수술하게 되면 2~3일 정도는 불편하게 보시는 분들도 있어요. 수술실에서 소변줄을 수술하는 동안 끼어 놓거든요. 물론 나오기 전에 빼기 때문에 환자분은 모르시겠지만. 소변줄 끼었다가 빼면 2~3일 정도는 그런 증상이 있을 수 있으니까 그 이후에도 계속 불편하면 그때 비뇨기과를 보는 게 어떨까요? 그리고 아예 소변을 못 보시는 분들도 있는데 불편하게라도 보시니까 다행인 거예요. 너무 걱정하지 마시고 주무세요~"

"아! 그럼 그렇게 설명해 주면 내가 걱정을 안 하지~ 내가 아까 오전에도 물어봤는데 원래 그런 거라고만 하더라고. 이렇게 설명 들으니까 이제야 이해가 되는구먼. 고마워!"

환자분은 그제야 밝은 얼굴로 병실로 들어가셨다. 그저 몇 마디 덧붙인 것뿐이었다. 원래 그런 거에서 원래 그럴 수밖에 없는 상황을 설명해 준 것밖에.

나 또한 학생간호사로 실습할 때 환자에게 유독 설명을 잘해주시던 간호사 선생님을 기억한다. 바쁜데 어떻게 저런 설명을 다 하지 싶을 정도로. 하지만 그 설명 하나로 처음 겪는 상황에서 환자에게 다가오는 불안감은 감소할 수 있다.

그것이 간호다. 환자의 병을 치료하는 것은 의사의 영역이다. 우리는 그 치료 과정에서 올 수 있는 환자의 심적 상태를 돌보고 도와야 한다. 예전 고대의 간호는 환자와 대화하고, 가족들에게 편지를 대신 써주는 일이 가장 중요한 간호의 일이기도 했다. 하지만 지금은 마치 의사와 같이 환자를 치료하려 한다. 그러다 보면 우리의 전문성 또한 사라지지 않을까? 우리의 본연의 목적이 말이다.

병원이라는 낯선 환경, 낯선 사람들, 그리고 처음 겪는 상황들. 그 상황에 적응할 수 있도록 도와주는 일이 우리가 해야 하는 일이 아닐까? 일이 바쁘더라도 환자가 이해할 수 있도록 설명해 줄 수 있는 간호사가 되어야겠다. 일보다 사람이 우선이니까.

드라큘라

　오랜만에 후배랑 밤새워 일했던 것 같다. 물만 겨우 마실 시간만 있었던 밤. 끊임없이 일이 있었던 날. 일요일 야간근무는 원래 바쁜 근무다. 수많은 피검사가 우리를 기다리고 있기 때문이다. 그래서 출근할 때부터 조급한 마음으로 출근한다. 이것보다 많을 때가 더 많다. 하지만 오늘은 많은 피검사와 함께 수술 환자가 많아서 확 늘어나 버린 항생제. 덕분에 더 바쁜 근무가 됐던 것 같다.

　피검사는 한번 스텝이 엉키기 시작하면 죄다 실패한다. 그래서 처음부터 혈관이 좋지 않은 환자를 찌르지 않는다. 그것이 우리의 노하우라면 노하

우일까? 혈관이 좋은 환자들부터 성공하기 시작하면 없는 환자도 이내 자신감이 붙어 한 번에 성공하기도 하기 때문이다. 같이 일하던 후배가 예정된 피 검사를 보며 나에게 말했다.

"선생님. 우리는 드라큘라인가 봐요!"
"맞다. 드라큘라! 하하."

그 재치 있는 말에 바쁜 와중에도 웃을 수 있었던 것 같다. 어쩌면 환자에게 우리는 드라큘라보다 더 무서운 존재일 수도 있을 듯하다. 잠도 깨지 않은 새벽부터 들어와 쇠바늘을 쑤셔대며 피를 한 움큼 가져가니까. 가끔 피 빼가는 우리를 원망스럽게 쏘아보거나 소리를 지를 때도 있다. 그럴 땐 의사 탓을 하며, 나도 뽑고 싶지 않은데 뽑는 나는 어떻겠냐고 하소연 아닌 하소연을 해본다. 그리곤 죄송하다며 대신에 한 번에 피를 뽑아주겠다고 약속한다. 그게 내가 할 수 있는 최대한의 타협 방법이다.

어떤 환자는 "아이구! 무슨 피를 그렇게나 많이 빼가!"라며 원망도 한다. 그러면 나는 천연덕스럽게

"이따가 아침밥 먹으면 이거 다 회복돼요~ 할머니 밥 많이 드시라고 일부로 빼가는 거예요! 아침 많이 드세요!"하고 던지는 나의 우스갯소리에 원망은 이내 미소로 바뀌어있다.

예전에는 피만 보면 덜덜 떨곤 했었는데 지금은 정말 드라큘라가 되어 가는지도 모르겠다. 한 번에 피가 딱하고 뽑힐 때의 그 희열감이란, 경험 해보지 못한 사람은 알지 못할 것이다. 너무 잔인해져 가는 걸까?

바쁜 근무인 만큼 퇴근할 때의 보람은 배가 돼서 돌아온다. 오늘이 그런 날이었다!

"오늘도 잘했다!"

미안합니다.

  얼마 전 남궁인의 「만약은 없다」를 읽으면서 기억에 남는 에피소드가 몇 개 있었다. 그중에 가장 기억에 남았던 〈수고하셨습니다.〉

  【참 따뜻한 말이다. 나와 그는 분명히 수고한 사람이 그임을 알고 있다. 나는 가만히 앉아 있었고, 몇십 분 동안 진땀을 삐질삐질 흘리며 노동한 것은 그 사람이다.

  하지만 이런 느낌이다.

  '나는 아무리 힘들어도 그건 내가 할 일이었어요. 제가 한 수고는 아무 렇지도 않아요. 비록 앉아만 있었다 해도, 그것이 아무리 사소한 일이라도 제가 하는 일을 도와준 당신에게, 그 수고에 정말 감사드립니다.' 머리를 자르라고 요구한 것은 나고, 머리가 짧아진 것도 나지만, 수고한 것도 나 였다는 미안한 표현.

  자신의 노고를 한없이 낮추는 겸손한 표현이다. 그 말을 들을 때마다 나 는 황송해진다.】

짧게 옮겨보자면 이런 내용이다. 분명 수고한 사람은 나인데도 불구하고 상대에게 수고하셨다는 인사말을 우리는 자주 건네고 받는다.

이 에피소드를 읽기 전에는 그 말이 어쩌면 당연하다고 생각했는지도 모르겠다. 그의 글 덕분에 수고하셨습니다의 아름다운 의미를 알게 되었고, 수고하셨다는 말들. 그 감사의 표현들이 나에게도 들리기 시작했다. 안 들리던 영어가 어느 날부터 귀가 트인 듯 잘 들리게 되는 것처럼.

혈관이 안 좋은 환자의 정맥주사를 놓기 위해 낑낑거리면서 15분째 그 환자에게만 매달려 있었던 적이 있었다. 4번째 만에 주사를 놓으며 나도 모르게 안도의 한숨을 내쉬며

"정말 수고 많으셨어요!"

라고 말했다. 그러자 "내가 무슨 수고야! 본인이 수고했지~"하며 오히려 내 등을 토닥여 주셨다. 나는 화내지 않고 잘 견뎌준 환자에게 고마워 나도 모르게 나왔던 말이었고, 문득 남궁인 책에서 본 그 문구가 떠올랐다. 참 따뜻한 말이라는 것. 공감했다. 앞으로 이 표현을 나도 자주 사용할 것 같다.

수고하셨습니다의 말의 의미를 깨달은 후부터일까? 나는 환자의 한 마디

한 마디를 귀담아듣기 시작했다.

바로 어제 일이었다. 보통 간단한 수술로 치부하는 하지정맥류 수술. 어제 우리 병동 수술 5건 중에 첫 번째 타임 수술이었다. 보통은 1시간 이내이기 때문에 가장 먼저하고 다른 수술들을 하게끔 스케줄이 잡힌다. 첫 타임 수술은 9시부터다. 그 환자는 9시에 들어갔고, 내 담당 환자는 아니었기에 신경 쓰지 않고 있었는데 내 환자가 오후 첫 타임 수술이라 보내려다 보니 아직 그 환자가 나오질 않은 것이었다! 그래서 오후 수술은 자연적으로 밀리게 됐고, 밀린 수술보다 나는 그 환자가 걱정되기 시작했다.

4시간 반이 지난 상황. 뭔가 문제가 생긴 건 아닐까? 생각보다 심각한가? 정맥류가 심하면 시간이 더 오래 걸리기도 하는데 3시간까지는 본 적이 있었다. 그런데 4시간 반이 넘어가자 내 담당 환자도 아니었지만, 슬슬 수술실에서 걸려오는 전화가 기다려지기 시작했다. 마치 내가 보호자인 양.

오후 1시 40분! 드디어 내가 기다리던 전화가 왔다. 초조하게 기다리면서 전화기 옆에 있었던 탓에 내가 제일 먼저 그 기쁜 소식을 들을 수 있었다.
간단한 수술이라 담당 간호사도 아닌 내가 굳이 따라가서 수술 후 처치를 할 필요는 없었다. 담당 환자가 아니기에 나는 그 환자를 알지도, 심지어 얼굴조차 몰랐다. 그런데도 그냥 환자 상태가 걱정돼서 확인하고 싶었고, 무작정 환자가 올라오자마자 침대를 같이 밀며 병실로 들어갔다.

내가 걱정했던 것보다 환자는 정말 멀쩡했다. 지친 기색조차 찾아볼 수 없었다. 너무 걱정해서일까? 안도의 한숨을 내쉬고 불현듯 다음 걱정들이 내 머릿속을 채웠다.

'이 간단한 수술을 이렇게 오래 하냐며 화라도 내면 어쩌지?'

이렇게 안도감 반, 걱정 반으로 수술 후 간호를 하고 있었다. 척추마취를 했기 때문에 다리가 움직여지지 않았고, 그래서 우리의 도움을 받아 옷을 입고 있던 환자가 갑자기 던지는 말.

"미안합니다."

순간 멍해졌다. 도대체 뭐가? 뭐가 미안하다는 걸까? 너무 뜻밖에 말을 들어서 나는 곧바로 환자의 말에 대답할 수가 없었다. 그렇게 잠깐의 정적이 흐른 후 나는 "뭐가 미안하세요~"라며 반문했고, 내가 움직일 수가 없어서 수고하시게 해서 미안하다는 것이었다. 나는 순간 남궁인이 느꼈다던 황송의 경지를 넘어 황홀한 기분을 느꼈다. 우리는 당연히 할 일을 하고 있었을 뿐이고, 더 한 걸 바라면서도 그건 너희가 해야 할 일이라며 당연시하는 사람 또한 많이 봐왔다. 그래서 우리의 일을 당연하게 받아들이는 사람들이 우리에게도 어쩌면 당연했다. 오히려 화내지 않으면 감사할 정도였으니까. 그런데 그런 우릴 보고 본인이 미안하다고 하신다.

네가 나를 위해 하는 일의 노고를 알고 있고, 그 노고에 무한히 감사를 표한다는 극도의 감사 표현이 아닐까? 수고했다는 말이 노고를 그저 알아주는 소극적인 표현이라면, 미안하다는 말은 노고를 알아주는 적극적인 표현이었다. 마치 나의 노고를 위로하는 상을 받기 위해 단상에 올라가 있는 기분이었다. 순간 또 한 번 가슴이 벅차올랐고, 나는 정말 보람된 일을 하고 있노라고 확신했다. 나의 당연한 일을 오히려 자신이 도와주지 못해 미안하다는 그 말에 담긴 의미가 너무나 감사했다.

"미안하다뇨! 당연한걸요. 이게 저희 일이잖아요~ 그리고 이 정도만 해도 엄청 잘하시는 건데요? 이렇게만 움직여주셔도 저희가 훨씬 수월해요~ 이렇게 해주시는 분들도 없어요~ 엄청 잘해주고 계시는 거예요~ 수술 오래 받으시느라고 정말 고생하셨어요."라는 말이 신나서 절로 나왔다.

그러자 옆에 있던 보호자가 "우리 아버지 칭찬받으셔서 이제 춤추시겠는데요?"라며 농담까지 던졌고, 그 침상 안. 커튼을 쳐 놓은 그 작은 공간에서 훈훈한 공기가 감돌며 웃음소리가 흘러나왔다.

환자가 아니라 내가 춤을 출 것 같았다. 아마 덩실덩실 춤을 추듯 전혀 힘들지 않았다. 수술 후 주의사항도 줄줄 나왔다. 모르는 내용이 있으면 얼마든지 다시 반복해 줄 수 있다는 의향을 비치면서 말이다.

이 장면이 너무 훈훈해 오래도록 한 영상처럼 저장해놓고 싶어 글로 남겨둔다. 감사할 줄 아는 사람은 그 감사를 전파한다.

그 감사의 마음을 온전히 받을 수 있어서 오늘도 감사한다.

재미와 감동의 DRG

오늘은 감동적인 이야기가 아닌 조금 재미있는 병원 에피소드를 가져왔다. 일단 오늘의 이야기를 얘기하기 위해 DRG 제도 = 포괄수가제라고도 불리는 제도 하나를 소개하려고 한다.

【DRG(Diagnosis Related Group) 지불 제도란 입원환자를 수술, 처치명, 연령, 진료 결과 등에 따라 유사한 환자군으로 분류, 사전에 정해진 진료비를 지불하는 제도. 입원환자의 분류 및 지불단위로는 DRG 분류체계를 이용한다. DRG 분류체계를 이용하기 때문에 DRG 지불제도라고 하며, 포괄수가제라고 부르기도 한다.'DRG(Diagnosis Related Group)'는 진단명 기준 환자군이라 번역되며, 미국의 예일대학 팀에 의해 1960년대 말부터 10여 년에 걸쳐 병원의 산출물을 정의하기 위해 개발된 입원환자 분류체계이다. DRG 분류체계에서는 모든 입원환자가 주진단명 및 기타 진단명, 수술처치명, 연령, 성별, 진료 결과 등에 따라 진료내용이 유사한 질병군으로 분류되는데, 이때 하나의 입원환자 분류군을 DRG라고 부른다. 포괄수가제도를 적용받게 되는 환자는 의료기관에 입원 시 어떤 질병의 치료를 위하여 내원하였는지에 따라 정해진 금액에 합병증 및 입원일수를 적용하여 계산한 진료비만을 부담하게 되는 것이다. 국내에서는 1997년 맹장 수술을 시작으로 2001년까지 자연분만, 맹장 수술, 백내장 수술, 제

왕절개, 치질 수술, 탈장 수술 등 발생 빈도가 높은 8개 질병군에 대해 포괄수가제를 시범 실시하다가 2002년 원하는 의료기관으로 확대됐다. 정부는 2012년 자연분만, 맹장 수술, 백내장 수술, 제왕절개, 치질 수술, 탈장 수술 등 발생 빈도가 높은 8개 질병군에 대해 포괄수가제를 의무화하였다.]

[자료출처 - 네이버 지식백과]

이 제도는 이미 많이 알려져서 알고 계시는 분들도 많지만, 우리 병원에 오시는 분들은 모르시는 분들이 더 많다. 일단 연령대가 고령인 데다가 유공자분들이 많이 오시기 때문에 어차피 본인이 진료비를 내지 않아서 이런 것에 더 무감각하다. 특히나 내가 있는 병동은 외과와 안과가 메인이기 때문에 DRG에 해당하는 대부분 질환이 우리 병동에 입원하게 된다. 그리고 다른 질환으로 입원했을 때랑 똑같이 요구한다.

"병원 온 김에 이것도 하고, 저것도 하고 싶다!"라고 말이다. 그런 환자에게 이 제도를 설득시키기란 여간 힘든 일이 아니다. 위에 설명처럼 그 질병에 대한 값이 정해져 미리 선납식으로 돈을 지급하기 때문에 추가로 발생하는 비용은 병원 차원에서 삭감된다. 즉 돈을 더 받을 수 없다. 병원에서 공짜로 해주는 진료가 되는 셈이다.

다음 날 치질 수술을 하기 위해 입원하신 할아버지 한 분이 있었다. 그

114

리고 갑자기 백발의 할아버지가 간호사실로 나왔다. 다음날이 수술이라 당일은 하는 일이 없다고 생각하셨는지 병원에 온 김에 한방치료를 받고 싶다는 것이었다. 나는 그 환자 담당 간호사도 아니었고, 담당이었던 후배가 환자에게 가서 설명하려 하기에 나는 일어나려다 말고 내 할 일을 하면서 듣고 있었다.

"나 오늘은 할 거 없지? 내가 허리가 아파서 안 그래도 여기서 침 치료를 받았어~ 오늘 온 김에 받으면 안 되나?"

"아.. 안돼요... 어르신..."

"왜? 내가 밑에 내려가서 접수하면 되는데.."

"일단 입원하면 외래 접수 자체가 안돼요. 입원해서 보게 되면 주치의가 따로 그 과에 의뢰를 해줘야 하는 건데 일단 어르신은 치질 수술하러 오셨잖아요? 그 질병으로 와서 다른 걸 할 경우엔 저희가 돈을 받을 수가 없어요!"

그 말을 듣는 순간 나와 내 옆에 있던 선배 둘 다 놀랐다. 그리고 선배가 나에게 속삭였다.

"야.... 쟤는 저걸 저렇게 설명하면 어떡한다니. 돈을 받을 수 없다니! 아이고야."

"안 그래도 저도 놀랐어요. 할아버지 왠지 이해 못 하실 거 같은데. 그러면 제가 다시 설명하죠. 뭐."

그분은 국가 유공자여서 본인이 진료비를 내는 것도 아니었기 때문에 그게 포괄수가제든, 일반 진료든 본인의 입장에선 상관없는 일이었다. 우리 병원이 돈을 못 받는 거지, 본인이 돈을 못 받는 게 아니었으니까. 그래서 나와 선배는 당연히 환자가 그 제도에 대해 이해하지 못할 거로 생각했다.

"아니~ 그건 너희 사정이고! 돈 못 받는 거랑 나랑 무슨 상관이야!!"

라는 대답이 나올 거라고 말이다. 그런데 우리의 그런 예상을 비웃듯이 환자가 그걸 한 번에 받아들이는 것이 아닌가? 후배의 말이 끝나고 할아버지는 무한 긍정의 끄덕거림을 하시며

"아아~ 그렇구먼! 알겠어~ 알겠어. 무슨 말인지. 그럼 안 되지!"

그리고는 기분 나빠하지도, 두 번 묻지도 않으시고 조용히 병실로 들어가셨다. 나는 그 광경이 그저 신기하면서도 웃겼다. 진지한 코미디 프로그램을 보고 있는 기분이었다. 그리고 선배도 나와 같은 기분은 느꼈는지 웃으며 나에게 얘기했다.

"이야.....대박....저렇게 설명을 했는데 그 설명을 또 수긍하신다? 나는 환자가 인정하고 들어간 게 더 신기해!! 하하하."

"그러게요. 대단한 설명이었네. 하하."

조금 전까지만 해도 후배한테 그렇게 설명하는 거 아니라고 한마디 해줘야 되겠다 싶었는데 그걸 본 순간 그럴 마음이 싹 사라졌다. 방법이야 어찌 됐건 덕분에 웃기도 했고, 결론적으로 환자도 이해했으니까 말이다. 아마도 그분은 우리 병원을 자신의 병원처럼 생각했을 것이다. 우리 병원이 돈을 못 받는 건 자신이 돈을 되돌려 받지 못하는 것과 동일시하셨기에 그런 설명을 받아들이신 거로 생각한다. 어떻게 보면 참 감사한 일이다. 남의 일이 아닌 자기 일과 동일시해주셨으니 말이다. 그만큼 우리 병원을 아껴주시는 마음에 감사하고 또 감동도 받았다.

환자가 병원을 가족처럼 여겨준다는 것. 다른 병원이었다면 상상도 못할 그런 일일 테니까. 나에게 큰 웃음과 감동을 준 후배와 환자분께 다시 한번 감사한다.

'같이'의 가치

　새해 첫날인 오늘 새벽의 일이다. 오랜만에 번아웃 상태로 퇴근한 날. 퇴근하는 엘리베이터 안에서 내 얼굴을 보자 마치 귀신처럼 하얗게 질려있었다.

　'이대로 쓰러져서 응급실에 실려 가도 이상할 것도 없겠다.'

　그런 상태를 나만 느낀 건 아니었는지. 집에 가자 엄마가 내 얼굴을 보고는 깜짝 놀란다. 핏기가 하나도 없는 얼굴이었으니까. 나는 그대로 바로 쓰러져 잠들었고, 보통 일찍 깨는데 오늘은 자고 또 자고, 자고 일어나도 또 졸린 상태다. 오늘 나를 이토록 힘들게 했던 에피소드를 풀어봐야겠다.

　병원은 늘 긴장 상태로 있어야 한다. 그래서 나는 병원만 가면 소화가 안 된다. 그 정도로 늘 긴장의 연속에 있다. 특히 병원 생활하면서 느낀 건 오늘 같은 날. 새해, 명절, 크리스마스 등 사람들이 보통 기다리는 날에는 잘 계시던 분들이 갑자기 문제가 생기는 경우가 있어서 이런 날 근무가 걸리면 나도 모르게 더 불안하고 긴장하게 된다. 물론 그냥 내 느낌일 수도 있지만 내 기억에 남는 이벤트 있는 사건들은 그런 날 더 많았다.

다행히도 어제 나를 힘들게 했던 분들은 다들 잘 계셔주셔서 다행이었지만, 오늘은 후배 담당 환자가 갑자기 상태가 안 좋았다. 신경외과 환자. 와상 환자라 대화도 안 되고 누워만 계시는 그런 상태의 환자다. 우리 병원에는 워낙 오랫동안 누워계셨던 분인데 어제저녁부터 숨소리가 목에 뭔가가 낀 것처럼 숨소리가 거칠었다. 물론 예전에도 몇 번씩 그랬던 적이 있었던 환자라서 의사도 우리도 '그러다 괜찮아지겠지'라고 생각했다.

보호자가 오늘 아무 일도 없었다며 말해주기도 했고, 숨소리 말고는 나머지 생체징후들은 흔들리는 상황이 아니었기에 지금 뭘 딱히 해줄 처치는 없었다. 더군다나 평일이 아닌 주말이었고, 응급으로 CT를 찍을만한 상황도 아니었다. 그래서 증상 완화를 위한 처치들만 시행했다.

밤이 되자 병동은 쥐 죽은 듯 고요함이 깔렸고, 그러면서 환자분의 숨소리는 더 거칠게만 들렸다. 후배는 시간마다 가서 활력 징후를 쟀고, 가래를 시간마다 뽑았다. 하지만 숨소리만 거칠 뿐 가래가 나오는 것도 아니었다. 산소포화도조차도 정상이었다. 3개월 전 폐렴으로 똑같은 증상이 있었던 터라 폐렴이 생긴 거 아닐까? 혹시 밥 먹다가 사레 걸린 것 아닐까? 추측만 할 뿐. 보호자가 말을 안 해주니 이유도 모른 채 우리는 그렇게 밤이 지나길 기다리고 있었다.

그러던 새벽 4시. 보호자인 할머니가 나왔다. 평소에도 말을 이렇게 저렇게 잘 바꾸시는 분인데 갑자기 나와서는 왜 아무것도 안 해주고 내버려 두냐고 하시는 것이었다. 계속 그 환자분만 보고 있는데 말이다. 할머니의 말은 왜 의사가 와서 안 들여다보냐는 것이었다. 이 병원은 의사도 없냐고. 의사라면 당직의밖에 없는데. 당직의는 환자 상태를 모를 뿐 아니라, 당직의가 지금 온다고 해도 해줄 수 있는 것도 없어서 우리도 그 상황이 난감할 뿐이었다.

차라리 활력 징후라도 환자의 상태를 알려주면 덜 답답하겠다고 생각하는 찰나. 갑자기 환자의 맥박수가 빨라졌고, 산소포화도는 점점 떨어지고 있었다. 그래서 바로 주치의에게 전화했고, 당직의한테 와달라고 부탁하라는 오더가 떨어졌다. 오늘 병동 당직이었던 레지던트 샘을 깨워서 환자를 부탁했다. 다행히도 바로 와주셨다.

당직의는 환자 상태를 모르기 때문에 우리가 환자의 전반적인 상태를 알려줬고, 환자의 3개월 전의 비슷한 상황과, 오늘 한 피검사 중 일단 결과가 나온 피검사 수치들만 얘기해줬다. 우리 추측 상은 폐렴 같은데 확실한 건 모르겠다고 하자 폐렴 의증으로 일단 CT를 응급으로 찍어보자고 했다.

120

일단 후배에게 CT실에 전화해서 응급으로 찍을 수 있는지 확인하라고 했는데 영상의학과 당직 샘도 물론 한 분인 건 알지만, 지금은 다른 병동 환자들 x-ray 찍으러 갈 시간이라서 안 되니 이따 오전 8시에 찍어야 한다고 하고 전화를 끊었다는 것이다.

그래서 내가 다시 전화했다. 지금 당장 찍어야 한다고. 응급환자라고 해도 우리 상황을 아는지 모르는지. 그래도 7시란다. 뭐 나도 그때는 이판사판이다. 옆에 있는 의사를 파는 수밖에.

"의사 선생님도 응급이라 지금 옆에 있고, 의사가 지금 당장 찍어야 한다는데 안 찍어주실 거예요?"

안 찍는다 하면 그냥 침대 밀고 내려가려던 참이었다. 근데 의사빨이 먹혔는지 지금 내려오라는 말에 후배랑 얼른 침대를 빼기 시작했다. 근데 기대도 안 했는데 당직 의사도 막 도와서 침대를 빼고 같이 영상의학과까지 내려 가줬다. 그렇게 영상의학과 기사와 나와 후배, 그리고 당직 의사까지 4명이 환자를 들고 나르고 하면서 CT랑 x-ray까지 찍었고, 그 결과상 폐렴이 맞았다.

그때부터 다시 처치 시작. 한 무더기의 피검사들. 또다시 피를 뽑아대고 항생제 검사를 하고, 수액을 바꾸고. 소변줄도 끼고, 그렇게 당직의사 샘도 우리랑 거의 2시간을 함께 그 환자를 봤다. 역시 의사가 있으니 심적으로 훨씬 수월하다. 설명해도 보호자들이 반박 안 하고 그저 의사 말이라면 수긍하시니까. 어떤 처치를 해도 만사 OK이었다.

그렇게 오전 7시 반이 되어서야 모든 처치가 정리됐고, 해가 떠오른 이후로 다행히도 환자분의 숨소리도 조금은 안정을 찾았다. 덕분에 보통 인수인계 시간이 7시인데 30분이나 늦게 시작했다. 데이번(오전 근무자)들도 출근하자마자 우리를 도와 일부터 하고 인수인계를 받았다. 우리는 지원군이 온 듯 든든했다. 그렇게 우리는 요란스럽게 새해 첫날을 보냈다. 덕분에 잊어버리지는 않을 것 같다. 그래도 다행이다. 원인을 찾았고, 때마침 처치도 했고, 환자분도 괜찮아졌으니까.

알고 보니 그 전날 할머니가 저녁먹이다가 사레가 엄청 걸렸다는 주변 분들의 제보도 듣고 퇴근했다. 누워계시는 분들이 자주 생기는 aspiration pneumonia(흡인성 폐렴)이었다. 우리의 추측대로. 아무튼, 원인을 찾아서 다행이다.

내가 담당한 방은 아니었지만 당황하는 후배 대신 내가 책임자로 더 할 수밖에 없는 상황이었는데 후배가 도와줘서 감사하다는 인사를 그 정신없는 상황에서도 한다. 당연한 거라고 여겨도 할 말 없는 상황인데 감사 인사까지 받으니 내가 오히려 몸 둘 바를 모르겠다.

그리고 오늘 당직이 착한 레지던트 샘이었던 것도 다행이었다. 이제 3년 차 되는 샘이었는데. 원래도 착한 건 알았지만, 이 정도일 줄은. 보통 자다 깨서 오면 성질부리면서 봐주는 레지던트가 태반이다. 솔직히 짜증 내도 짜증 받아주려고 각오하고 있었다. 그런데 짜증은커녕 오히려 자기가 침대 빼고 옮기고 적극적으로 도와주고, 영상의학과에서도 우리가 반팔로 내려가서 그런지 안 춥냐고 걱정도 해줬다.

그리고 환자는 CT실에서 CT를 찍고 있었고, 나랑 후배는 CT실 문 앞에 서 있었는데 그런 우리를 저쪽 끝에서 손짓으로 부른다. 그래서 무슨 일인가 해서 후배랑 갔는데.

"여기 있어요. 거기 방사선 나오니까 그 앞에 있지 말구~"

영상의학과 기사들도 우리한테 그런 말 안 해주는데 의사에게 저런 말을 들을 줄이야. 뭐 이런 말에 호들갑이냐 할 수도 있겠지만, 진짜 감동이었다. 본인은 방사선의 부작용을 많이 봐서 위험성을 잘 안다면서 환자가 CT 찍을 동안 방사선 노출의 위험성에 관해서도 설명해주고, 방사선 피한다고 막 의자를 방패 삼아 쭈그려서 앉아있고. 그 모습이 너무 웃겨서 그 와중에 또 한바탕 웃었다.

그리고 데이번한테도 그 의사 칭찬을 어찌나 했던지. 정말 다시 봤다. 요즘 들어 착한 의사 선생님이 많아진 것 같다. 좋은 징조다! 오늘은 먹을 게 없어서 음료수밖에 못 챙겨줬는데 담에 또 보게 되면 더 맛있는 걸 챙겨드려야겠다. 근데 그 의사가 소변줄 끼다가 바늘에 찔려서 간지라 그게 좀 걱정된다. 처치는 해주긴 했지만. 일은 일대로 다 하고 바늘에 찔리니까 왜 내가 미안하던지. 본인도 걱정됐는지 내려가면서도 "나 아프진 않겠죠?"이러면서 내려갔다. 진심으로 괜찮았으면 좋겠다.

오늘 번아웃 될 정도로 힘들긴 했지만, 그래도 퇴근하는 길에 마음만은 뿌듯했다. 얼굴은 핏기가 없었지만, 입에서는 실실 웃음이 나왔다. 혼자가 아닌 '같이'의 가치가 이런 것 아닐까?

오늘 일처럼 병원에서는 혼자 할 수 있는 일은 없다. 뭐든지 같이 가야 한다. 그렇게 같이 가는 길에 좋은 사람들과 함께 일한다는 것. 그 자체에서 뿌듯함과 행복함을 느낀다. 감사합니다.

에필로그

나는 큰 병원의 간호사도 아니고, 유명한 병원에 다니는 간호사는 더더욱 아니다. 그런 내가 감히 병원생활에 대한 에피소드를 낼 수 있었던 것은 관점을 바꿨기 때문이 아닐까 조심스럽게 생각해본다. 큰 병원에만 특별한 일이 일어나는 게 아니고, 엄청난 병원이어서 감동적인 이야기가 나오는 게 아니라는 생각을 하기 시작했기 때문에 내 책도 세상 밖으로 나올 수 있었으리라 생각한다.

나는 내가 있는 특수한 병원에서 특별한 사람들과 나만의 이야기를 만들어가는 중이다. 그리고 앞으로도 그들과의 이야기를 나만의 방식으로 풀어낼 생각이다. 그들과 함께하는 인생의 희로애락에 관한 수많은 이야기를 말이다. 그 생각만으로도 벅차게 설레고 행복하다. 앞으로 나에게 어떤 일들이 기다리고 있을까?

그만두고 싶었던 나의 일이 지금처럼 사랑스러울 수 있다는 게 그저 신기하고, 감사하다. 예전에는 이 일을 억지로 했었지만, 지금은 이 일을 그만둔다고 생각하면 숨이 턱하고 막히는 것만 같다. 그래서 내 몸이 허락하는 한 계속해서 내 일을 하고 싶다.

이 책이 나올 수 있게 응원해주고, 용기를 준 시골의대생 최성호님, 이제는 오히려 병원 안에서 살아 있는 기분을 느끼며 살수 있도록 나를 일깨워 준 나의 멘토 이국종 교수님, 그리고 나의 글이 나올 수 있게 해 준 수많은 환자와 의사, 간호사 동료분들께도 감사드린다. 그리고 나를 이렇게 잘 키워주신 우리 부모님과 언제나 멋진 누나라며 응원해주는 내 동생에게도 감사한다. 마지막으로 나의 부끄러운 고백을 끝까지 읽어주신 분들께 감사의 말을 전한다. 감사합니다.